耕林 Just Novel 就是小說

耕林 Just Novel
就是小說

Vampire Academy

吸血鬼學院

2・冰烙印 Frostbite

蕾夏爾・米德 Richelle Mead 著
吳雪 譯

將本書獻給聰明的吉・理查森

致謝

一如往常，沒有朋友和家人的支持，就沒有這本書的誕生，除此之外，也要特別感謝IM諮詢團隊：凱特琳、大衛、杰、傑克和吉。你們花費了我無法計數的時間協助我上網搜尋資料，若是沒有你們的協助，我將無法順利完成這本書，以及未來這一年即將出版的書。

同時也要感謝我的經紀人——吉姆．麥卡錫為我所做的一切努力，提供我所需要的幫助，我很高興有你的協助。最後，感謝企鵝集團海雀出版社（Razorbill）的潔西卡．羅森伯格以及班．斯蘭克，謝謝你們持續的支持與辛勤的工作。

學院推薦函

- 美國青少年圖書館協會選書
- 蟬聯紐約時報暢銷排行榜
- 美國《青年之聲》雜誌評為「超越暮光之城的青少年讀物」
- 美國媒體評為「哈利波特後最快捕獲青少年心靈的奇幻小說」
- 引人入勝。

——美國《書單》雜誌（Booklist）

- 令人十分著迷。

——美國《校園圖書館期刊》（SLJ）

- 獨一無二，過目難忘。當讀者看到某個地方的時候，胃口絕對會被緊緊吊起。

——美國《青年之聲》雜誌（VOYA）

- 這是一個黑暗又令人屏息的世界！蘿絲是如此的性感卻又充滿著危險——是我喜歡的類型女孩！

——《今日美國》熱門作者Gena Showalter

楔子

萬物都會死去，但是卻不見得會一直處於死亡的狀態——相信我，眞的是這樣！

在這個世界上，有一種吸血鬼被人們稱爲「活死人」，他們眞正的名字是「血族」，如果你還沒有作好夢見他們的準備，現在最好開始了。

他們十分強壯，速度極快，而且殺人不眨眼。他們不是凡人，這讓他們在殺人時，更加的肆無忌憚。想要殺死他們只有三種方法——用銀樁刺入他們的心臟、砍下他們的頭，或是用火燒。

這三種想要做到都很不容易，不過，總比束手無策好多了！

當然，這世界上也有善良的吸血鬼，那就是莫里族。他們是活生生的，而且天生擁有不可思議的能力，可以掌管分屬四種自然元素的魔法，即水、火、土和空氣（好吧！大部分的莫里族都是如此，但是稍後我會解釋幾個個案）。不過，他們現在並不怎麼使用這些能力了，這不免令人有些難過。

這種能力可以成爲非常有力的武器，但是莫里族堅信，他們的力量不應該用於戰爭，這是他們族群最基本的準則之一。

莫里族一般長得又高又瘦，而且無法經受強烈的陽光照射。不過他們超人的視力、嗅覺和聽覺，可以彌補這點不足。

不管是什麼樣的吸血鬼，都需要吸血，我想，這便是他們都被歸爲「吸血鬼」的原因。但是，莫里族不會用殺人的手段來獲取血源，他們有一群自願提供血液的人類，因爲這些人類非常、非常享受被吸血鬼吸血時帶來的快感，無法自拔——這點我深有體會。這些人類被稱爲「餵食者」，但他們的本質其實是「被咬上癮的癮君子」！

不過，養一群這樣的餵食者，總好過血族的作法。

血族是利用殺人來獲得鮮血的，而如果一個莫里族在吸血的時候不小心殺了人，他或者她就會變成血族。有的莫里這麼做是有意爲之的，他們甘願放棄他們的能力，和他們作爲非凡一族的道德操守，當然，也有被迫變成血族的。

而如果血族吸了一個人的血，反過來又讓他吸食自己的血液，那麼……一個新的血族就誕生了！這種事可以發生在任何人身上，不管是莫里族、人類，或者……拜爾族。

拜爾族——這就是我的身分。拜爾族的血統裡面，一半是人類，一半是莫里族。我很願意將之想成我們繼承了這兩個種族最優秀的基因。我既強壯又結實，和人類一樣，我能隨時隨地曝露在陽光下，而且，如同莫里族，我有非常敏銳的感覺和最敏捷的反應。

這樣的結果便是拜爾族變成了莫里族的保鑣……至少大部分的拜爾族都是如此，我們稱之爲

「守護者」。

到目前爲止，我的人生都在接受訓練，爲保護莫里不受血族的侵害作準備。在聖弗拉米爾學院裡，我要完成一整套特殊的課程和練習。

聖弗拉米爾學院是爲莫里族和拜爾族開辦的私立學校，在那裡，我可以學會如何使用各種武器，完全漂亮地有效攻擊。我曾經擊敗過比我身形大出兩倍的傢伙，有的是在課堂上，有的是在課外，不過，說眞的，我唯一能打敗的也只有他們了。

我所在的班級裡幾乎沒有女生，這是因爲雖然拜爾族繼承了所有最優秀的基因，但是也有我們無法做到的事——拜爾族不能和另一個拜爾族生下小寶寶！不要問我爲什麼，我可不是生物學家。人類和莫里族在一起，生下的永遠是拜爾族，這就是我們最初的起源。不過，發生這種事情的機率越來越小了，莫里族傾向於和人類保持距離。而根據另一種奇怪的基因組合，莫里族和拜爾族也可以生下拜爾族的小孩。我知道，你認爲這樣的孩子應該擁有四分之三的吸血鬼血統，但並非如此，他們身上有一半的人類血統、一半的莫里族血統。

大部分的拜爾族，爸爸是莫里族，而媽媽是拜爾族。莫里族的女性被嚴格地規定只允許生莫里族的孩子。按照一般意義來解釋，這就意味著莫里族的男性可以和拜爾族的女性隨便玩玩，然後拍拍屁股，一走了之，於是便產生了很多拜爾族的單親媽媽，這可以解釋爲什麼守護者中缺乏女性了，她們更想將精力放在撫養孩子上面。

所以，守護者之中，只有拜爾族男性，以及少數的女性。這些選擇保護莫里族的人，在對待自己的工作時，都十分嚴肅認眞，因爲，他們需要莫里族幫他們傳宗接代，另外，這也是……嗯……是一件光榮的事情。

血族是邪惡的，放任他們傷害無辜是不對的——拜爾族從會走路的那天起，就將這種想法根植在心中。

血族是魔鬼，莫里族需要保護——守護者對此深信不疑！我對此深信不疑！

全世界有一個我最想要保護的莫里族，那就是我最好的好朋友莉莎，她是莫里族的公主。莫里族有十二個皇室家族，而她則是德拉格米爾家族剩下的唯一成員。

不過，除了她是我最好的好朋友這件事之外，還有別的原因讓莉莎變得與眾不同。

記得我剛才說過莫里族掌管的四種基本元素嗎？其實，直到最近，我們才發現莉莎掌管的能力不屬於這其中的任何一種，她的能力是「精神」！

這幾年，我們一直認爲她的能力還沒有顯露出來，直到她開始不斷地遇上各種奇奇怪怪的事情，比如說，所有的吸血鬼都有催眠的能力，能夠把自己的願望強加給別人，血族的這種能力非常強大，莫里族的則稍微弱一些，而且還被禁止使用。

但是，莉莎的這種催眠能力卻和血族一樣強大，她只需要眨眨眼睛，別人就能夠按照她的意願行事！

不過，這還不是她最酷的地方。

我在一開始的時候說過，萬物不會永遠保持死亡的狀態，其實，我就是活生生的例子！別擔心，我不是血族，但是我曾經死過一次（我可不是以此爲傲），當時我乘坐的車子從公路上翻了下去，我在這場意外中喪生，同時喪命的，還有莉莎的父母和她的哥哥。但是，在這種一片混亂的情況下，莉莎用她的精神能力將我從死神手裡救了回來，她自己甚至沒有意識到。我們糊里糊塗地過了好長一段時間，事實上，我們根本不知道莉莎有這種精神能力。

不幸的是，在我們之前，很顯然有一個人是知道這種能力存在的。維克多．達什科夫——一個垂死的莫里族王子，他發現了莉莎的能力，並決定將她囚禁起來，讓她幫他治病，期限是她的下半輩子。

當我知道有人在監視莉莎，就決定憑我自己的能力來解決這件事。我帶著莉莎逃離學校，混跡在人類當中。這很有意思，但想要一直這麼有意思下去，也是很令人頭痛的一件事！

我們離開學校長達兩年的時間，直到聖弗拉米爾學院派人來搜捕我們。幾個月以前，我們再次被帶回了學院。

這時，維克多開始實施行動。他綁架了莉莎，並折磨她，直到莉莎答應他的請求爲止。爲了拖延時間，他用了很多極端的方法，比如給我和我的導師迪米特里下了催情的符咒，還利用精神能力讓莉莎的神經變得十分脆弱，不過這都比不上他對自己的女兒娜塔莉所做的。

他很過分，居然鼓勵娜塔莉主動變成血族，以此來幫他逃跑，害得娜塔莉最後被銀樁刺入了心臟。當一切水落石出，維克多被逮捕之後，他並沒有對他所做的一切表現出一點愧疚，這讓我覺得，在成長的過程中沒有父親的陪伴，也不是什麼壞事。

現在，我仍然保護著莉莎不受血族的傷害，也不受莫里族的欺負。只有少數幾個學院的高層知道莉莎的能力，但是我十分確定，肯定還有許多像維克多一樣的人，對她的能力虎視眈眈。

幸運的是，我還有一個武器可以幫助我守護莉莎——我在車禍中接受她的治療的時候，她的精神能力在我和她之間建立起一種心電感應。我可以看見她看見的、感受她所感受到的（不過這種心電感應是單向的，莉莎無法「感覺」到我）。

心電感應可以讓我對她留心，在她有麻煩的時候及時得到通知——雖然讓另一個人進入你的意識是很奇怪的一件事！我們都相信，這種精神能力還能做很多事，但是目前對這些都還一無所知。

同時，我也盡一切努力，讓自己成為一個最優秀的守護者。從學院逃跑，讓我的訓練落後其他人一大截，所以我需要接受補習，來追回這段丟掉的時間。

在這個世界上，我最想做的一件事就是保護莉莎的安全，不幸的是，我身上的兩個毛病總是會時不時地冒出來干擾我的訓練——

其一，我有時做事會不經大腦，雖然我已經盡量避免了，但是，當我真的火大時，我的第一反應便是先揍對方一拳，然後才會想到要去看看被我揍的人究竟是誰。但，當我關心的人陷入危險的時候發生這種事的話……呃……規定就變得不那麼重要了！

其二就是迪米特里。他殺了娜塔莉，是個不折不扣的壞蛋，但，他長得十分好看……好吧！比好看要強出許多。他很性感，就像那種你在大街上見到會不顧出車禍的危險，停下腳步回頭觀望的那種。

不過，正如我所說，這個人是我的老師，而且他已經二十四歲了，這些都成為我不能夠愛上他的理由。而，老實說，最主要的原因還是因為莉莎畢業以後，我們兩個都會成為她的守護者，如果我們兩個彼此關心過多，那就意味著我們無法照顧好莉莎！

在抵抗他的魅力這件事上，我並不那麼走運，我相信他對我也是有感覺的，這讓我們兩個在陷入催情咒語的時候，很難從彼此的羈絆中解脫出來。

維克多曾經想在他綁架莉莎的時候，以此令我們分心，這一招確實奏效了！我差一點失去了童貞，但就在最後一刻，我們打破了咒語！

順便提一下，我的名字叫作蘿絲．海瑟薇，今年十七歲，正在接受保護吸血鬼、殺死吸血鬼的訓練，和一個絕對不適合的人陷入愛河，最好的朋友擁有一種隨時會令她陷入瘋狂的能力……

嘿！沒人說過高中是隨隨便便就能混過去的。

1

我並不認爲我的日子會變得比現在更糟，直到我最好的好朋友告訴我，她可能快要瘋掉——

「又」快要瘋掉！

「妳說什麼!?」

我站在莉莎宿舍的大廳裡，將重心放在自己的一隻腳上，昂著頭，從遮了半張臉的頭髮縫隙中向她望去。

放學後，我睡了一個小覺，爲了準時出門，連頭髮都來不及先梳一梳。莉莎的亞麻色頭髮又滑又順，垂在肩頭，就像是新娘的頭紗，非常完美。她看著我，覺得我的造型十分好笑。

「我說，他們給我開的藥，好像不如以前那麼管用了！」

我立刻繃直了身體，將眼前的頭髮甩開。「什麼意思？」

在我們周圍，其他的莫里族都是步履匆匆，趕著去見他們的朋友，或者去吃飯。

「妳開始……」我壓低了聲音，「妳開始重新使用妳的能力了嗎？」

莉莎搖搖頭，我看見她的眼中閃過一絲後悔。「沒有……我能夠感覺到魔法能力的逼近，但是還沒有辦法使用，最近我感受到的，其實是另外一回事。妳知道的，我最近偶爾會覺得有些沮喪……」她看著我，急忙又補了一句：「但沒有到達上次的程度，只是比剛吃藥那時嚴重一些。」

在莉莎服用藥物之前，她的情緒一度十分低落，甚至想要割腕！

「那其他的情緒呢？比如說焦慮、妄想自己是受害者的念頭……」

莉莎笑了笑，並沒有我表現的那麼嚴肅認眞。「妳說得好像讀了很多心理學的書籍一樣！」

我確實讀過了。「我只是擔心妳。如果妳認爲那些藥不再管用，我們需要讓別人知道。」

「不！」她飛快地說，「我很好，眞的。藥還是有用的，只是不像一開始那樣立竿見影了。我覺得我們目前還沒有必要感到恐慌，特別是妳——至少不是今天！」

她轉移話題這招奏效了，這個時候，我才想起，今天是我參加能力測驗的日子！

能力測驗是一種考試，其實更類似於面試，所有聖弗拉米爾學院高年級的守護者實習生，都必須通過這個測驗。我因爲和莉莎逃離學院長達兩年，錯過了考試，因此，今天我要被帶到學院外面接受測驗。

「不要擔心我。」莉莎微笑著又重複了一遍，「如果情況變得更糟，我會告訴妳的。」

「好吧！」我立刻接道。

爲了安全起見，我集中自己的注意力，透過心電感應讓自己感覺她的眞實感受——

她對我說的都是實話，今天早上，她心情平靜，無憂無慮，但是，在她的意識深處，我能夠感應到一股陰鬱、不安的情緒。這不會讓她思慮過度，但是，它與莉莎原先的絕望和憤怒給人同一種感覺。

這種情緒只有一點點，可我不喜歡，我覺得連一點點都沒有才是最好。

我想探進她意識更深層的地方，將她的情緒感應得更清楚一些，但是，在探進的過程中，我突然有種怪怪的感覺，一種可怕的感覺攝住了我，我猛地脫離出她的意識，接著，一陣細小的電流竄過我的身體。

「妳還好嗎？」莉莎皺著眉頭問道，「妳的樣子看起來像是想吐。」

「沒有……只是因爲快要考試了，有些緊張。」我騙她。

很快地，我又試了一次心電感應，但，那股陰暗的情緒完全不見了，消失得無影無蹤。也許，她的藥根本就沒問題！

「我很好。」

她指了指鐘錶。「如果妳再不走，就一點也不好了！」

「該死！」我低吼，快速地擁抱了她一下。「一會兒見！」

「祝妳好運！」她喊道。

我飛快地穿過整個學院，我的導師——迪米特里・貝里科夫，正在一部本田汽車旁邊等著我。眞無聊！雖然我並不期望自己能夠坐保時捷馳騁在蒙大拿的深山裡，但是總該比這台酷一點吧！

「我知道、我知道……」我看著他的臉，連聲說道。「對不起，我遲到了！」

這時我才記起，我要面對的，是我一生中最重要的一次考試。突然，我完全將莉莎和她吃的藥可能失效這些事拋到腦後。

我想要保護莉莎，但是如果我無法順利畢業，成爲她眞正的守護者，這一切都毫無意義！

迪米特里站在那裡，和以往一樣玉樹臨風。學院由磚塊砌成的高大建築物投射出長長的陰影，將我們籠罩起來，像在曙光出現前，隱藏在黑暗中的巨大怪獸。我們周圍飄起了雪花，我看著車燈，雪花在燈光前洋洋灑灑地落下來，有的落在他的頭上，融化在黑色的髮絲間。

「還有誰要來？」我問道。

他聳聳肩。「就妳和我。」

我的情緒突然之間從「高興」升爲「狂喜」。「我和迪米特里」、「單獨」、「共乘一部車」……這種令人驚喜的考試，還是值得一試的！

「要開多久？」我暗暗地祈禱，希望路程越遠越好，比如說要花一個星期，而且最好我們能夠在一間奢華的酒店裡過夜，或者，我們被困在雪堤上，只有用身體溫暖彼此，才能存活下去……

「五小時。」

「哦。」比我希望的還要短一點，不過，五小時總比「馬上就到」好，而且，這也不能排除在雪堤被困住的可能性。

這條昏暗、落滿雪花的道路對人類來說，可能十分難走，但是對我們拜爾族來說，要看清前方的路並不困難。我盯著前方，試著不要去注意迪米特里清爽的鬍後水味道，我幾乎要被它融化了！爲了轉移注意力，我全神貫注去想能力測驗的事。

這不是那種你溫習了就會有用的測驗，要嘛過，要嘛不過。高級守護者會在實習生升到高年級的時候來進行訪問，並且會有一對一的接見，便於稍後討論他是否能夠成爲一個合格的守護者。

我不知道他們問的具體問題是什麼，但是這麼多年以來，各種謠言滿天飛。年長的守護者評估實習生的人品和奉獻精神，有的人因此而被認爲不適合繼續進行守護者的進修。

「他們一般不是都會到學院來嗎？」我問迪米特里。「我是說，我已經準備好去見他們了，但是，我們爲什麼要去見他們呢？」

「準確來說，妳要見的是『他』，而不是『他們』。」迪米特里的話中帶有輕微的俄羅斯口音，這是唯一能讓人知道他出生地的特點，還有就是，我很確定他的英文說得比我好。「有鑒於這樁案子的特殊性，以及他想要幫我們一把的善心，我們才有了這次旅程！」

「他是誰？」

「亞瑟．舍恩伯格。」

我猛地轉頭看向他，尖叫一聲：「什麼!?」

亞瑟．舍恩伯格是一個傳奇人物，在活著的守護者歷史中，他是偉大的血族狙擊手之一，而且曾經是守護者議會的領袖。

守護者議會是由一群已經分配給莫里族的守護者組成的，他們負責處理一切與守護者相關的事物。

後來，他漸漸隱退，回到幕後，專心守護十二皇室之一的巴蒂卡家族。就算他退了休，我知道他還是很厲害，他的事蹟是我們學習課程的一部分。

「沒有……沒有別的人可以來了嗎？」我很小聲地問道。

我能夠看見迪米特里藏起的笑意。「妳沒問題的！而且，如果亞瑟支持妳，這在妳的記錄上，會是很有力的一個評語！」

亞瑟？迪米特里竟然可以對那些厲害的守護者直呼其名！不過，他自己也是那些人當中的一員，我實在不應該對此大驚小怪的。

車裡一片沉默。我緊緊閉著嘴，突然希望能夠瞭解亞瑟．舍恩伯格的評判標準。我的成績很好，但是逃跑的經歷和在學院裡打架這兩件事，可能會在評估我的職業態度上蒙上一層陰影。

「妳沒問題的！」迪米特里又說了一遍，「在妳的記錄中，好的部分遠遠超過不好的部分。」

有的時候，他好像能一眼看穿我。我微微笑了笑，小心翼翼地瞥了他一眼。就算是坐著，他的身材仍然修長、結實，眼睛深邃不見底，長及肩膀的棕色頭髮在脖子後面束了起來，滑得像是絲綢一樣——我之所以知道，是因爲在維克多．達什科夫給我們下了情慾咒時，我親手摸過。

我用了好大力氣，才強迫自己重新呼吸，並將目光調轉開來，全身陷進車座裡。「多謝了！老師。」

「我會幫妳的。」他回答我，聲音很輕，也很放鬆，這情形對他來說是很少見的，他的聲音一般都是緊繃繃的，像是時刻都準備進攻，也許是這輛本田令他有了安全感，或者覺得他在我身邊是安全的。

「你知道眞能幫到我的是什麼嗎？」我問道，不敢看他的眼睛。

「嗯？」

「如果你能關掉這垃圾音樂，放點柏林牆倒塌以後的音樂的話。」

迪米特里笑了。「妳最差的一門功課就是歷史，現在看起來，妳對東歐倒是瞭若指掌！」

「嘿！你找到把柄可以拿我開玩笑了是嗎？」

他的唇邊仍然掛著笑容，調了調電台頻道，聽起了鄉村音樂。

「這不是我想聽的！」我抱怨說。

我敢打賭，他很想大笑出聲。「妳只能二選一。」

我嘆了一口氣。「還是調回一九八〇年的爛歌吧！」

他又調了回去，我雙手環抱在胸前，電台裡傳來模糊不清的歌聲，好像是一個歐洲的樂團在唱一首關於電視是如何令電台明星滅亡的歌。我眞希望有人能把這個電台消滅掉！

突然之間，我覺得五個小時並沒有想像中那麼短暫了。

亞瑟·舍恩伯格和他保護的皇室一起居住在I-90公路旁邊的小鎮上，離比林斯不遠。大多數的莫里族爲了安全，所以分散居住，有人對此持有異議，認爲大城市是最好的選擇，因爲吸血鬼可以隱藏在人群之中，在夜間活動也不會引起別人的側目，但另外一些莫里族，比如巴蒂卡家族，則選擇了這樣一個偏遠安寧的小鎮，他們相信——知道你的人越少，你被人關注的機會也就越少！

我說服迪米特里在看見街邊的二十四小時便利商店時，停一下車去買點吃的。我們本想再給車子加點汽油，但是在這之前，我們已經抵達了目的地。

這座房子蓋得雜亂無章，純灰色木牆上面嵌著大窗戶，當然，窗玻璃被塗了顏色——爲了阻止陽光。這裡看起來像是新蓋的，造價不菲，即使身處如此偏遠的地方，這還是非常符合我對皇室住處的一切幻想。

我從車子上跳下來，靴子踩在平整的積雪上，踩出大概一英寸深的腳印，並沿著車道留下了長長的一串。天色仍然大亮，四周一片寂靜，偶爾才有微風拂過，這一刻，我覺得此情此景似乎似曾相識。

我回想起我們初次見面的那個夜晚、回想起他救了我的那個秋日，當時的天氣與今天如此相似。不知道是不是因爲太冷了，他扶著我的胳膊的手感覺如此溫暖，即使隔著厚厚一層皮大衣，熱度也能傳到我身上。

「妳還好嗎？」他鬆開了手，看著我慌張的臉。

「還好。」我說著，看向旁邊結冰的人行道，避開他質問的目光。

突然，迪米特里停了下來，我馬上也停下腳步。

他的神情變得緊張，充滿了戒備，四下探察一番後，開始搜索路邊和我們周圍白茫茫的大地，最後將目光鎖定在房子上。

我想開口提問，但是他的表現告訴我——最好還是保持安靜！

他仔細地看著那棟建築物，足足有一分鐘之久，然後又看了看結了冰的人行道，接著是車道，鋪在車道上的厚厚積雪上，只有我們的腳印。

他小心翼翼地走到前門，我跟在他後面，這時，他再次停了下來，這次他研究的對象是門。門是關著的，但沒有關好，看起來像是被人匆匆忙忙帶上。下一步要檢查的地方是門邊，在這裡，我們發現了蹊蹺——門邊有幾處地方像是被人動過手腳，只要輕輕一推，就能夠將門推開。

迪米特里用手指沿著門和門框的接縫處不斷摸索，他的呼吸在空氣中形成一團小小的白霧，當他握住門把的時候，把手輕輕地晃了晃，好像壞了！

最後，他平靜地說：「蘿絲，回到車裡等我。」

「但是，為……」

「快！」只有一個字，但是充滿了力量。

這個簡單的音節提醒了我，這個男人是我周圍所有人之中最出色的，而且還能夠用銀樁刺死血族！

我退後，挑選被雪覆蓋的地方往回走，不想冒險走在人行道上。

迪米特里站在原地，一直等到我鑽進車子裡，並將車門輕輕地關上之後，他才開始行動——用最輕快的動作推開半掩的門，消失在房子裡。

我按捺住心中的好奇，一直數到十，才再次爬出車子。

我知道我最好還是不要跟在他的後面，可我必須知道屋子裡面究竟發生了什麼事。結了冰的人行道和蓋滿了積雪的車道都顯示這裡已經許久沒人住了，但也有可能是巴蒂卡家的人很久沒有離開過這棟屋子。

我揣測著他們是不是成爲了非法闖入的小偷或者強盜的犧牲品，抑或是被什麼東西給嚇跑了，比如說……血族，只有這種可能性，才會讓迪米特里的表情變得如此沉重。

可是，有亞瑟·舍恩伯格在，這種劇情應該不會發生才對啊！

我站在車道上，仰頭望向天空。天氣雖然陰霾，但還是有一絲陽光。

此時正值中午，應該是一天中陽光最強烈的時候。血族在光天化日之下是不會行動的，我不需要擔心他們，唯一該害怕的是迪米特里的怒火。

我包抄到房子的右側，這裡的積雪更多，足印幾乎有一英尺深。我沒有發現有什麼不對，冰柱懸掛在房簷下，塗了顏色的窗子上也沒有異常。

突然，我的腳好像踢到了什麼，低頭看去，半掩在雪裡的是一根銀樁，直直地插著，我撿起它，撣落上面的積雪，隨即擰起了眉頭。

這裡怎麼會出現一根銀樁？銀樁可是貴重物品，它是守護者最有力的武器，只要將它插進血族的心臟，就能夠令其斃命！

打造銀樁的時候，需要有四名莫里族的人分別對它施以四種不同元素的魔法。我還沒有學過如何使用它，然而，僅僅是將它握在手裡，都讓我覺得更有安全感、覺得自己可以繼續活下去。

一扇大大的庭院大門通往屋子後面的木陽台，夏天的時候在這裡約會應該很不錯，但是，此刻，門上的玻璃碎了，破了的地方可以讓一個人輕輕鬆鬆進入。

我邁步踏上陽台，小心地避開冰碴，心裡很清楚——如果迪米特里發現我在這裡，肯定會讓我陷入很大的麻煩之中！雖然現在天氣寒冷，但是，汗滴還是順著我的脖子往下流。

「現在是白天……現在是白天……」我不斷提醒自己，沒有什麼好擔心的。

走到門邊，我仔細地察看被塗黑的玻璃，很難說它是被什麼打破的。走進屋裡，裡面藍色的地毯上，已經積了一小堆雪。

我轉了轉門的把手，門被鎖上了，但是把手邊有一個大洞。我小心地避開門洞鋒利的邊緣，伸進手去，從裡面將門鎖打開，再同樣小心翼翼地將手抽出來，推開了門。門發出了微微的吱呀聲，雖然只是非常輕微的聲響，但是在如此怪異的寂靜中，仍然嚇人！

我沿著門廊往裡走，站在門口投進陽光的地方，藉著陽光打量昏暗的屋裡。風嗖嗖地颳了進來，捲起我周圍的窗簾，我身處的地方是起居室，裡面的家具一應俱全，只要是人能想到的，全部都有。沙發、電視、一把搖椅、一具屍體……

一具屍體!?

那是個女人，她仰躺在電視前面，黑色的頭髮順著她的身體披散在地板上。她的眼睛大睜，直勾勾地盯著天花板，面色慘白，哪怕是對莫里族來說，這種臉色也太蒼白了！有一刻，我認爲她的頭髮纏住了她的脖子，後來才發現那些留在她皮膚上的黑漬是血，乾涸凝固的血液——她的喉嚨被人撕開了！

這實在是太恐怖了！一開始我甚至沒有意識到，自己正在看的是一幅什麼樣的畫面。根據她的姿勢來看，當時她應該睡得正香。

這時，我又看見了另外一具屍體——在離這裡幾英尺的地方，躺著另外一個男性，變黑了的血液滲進他身下的地毯裡。沙發中間躺著第三具屍體，身材不高，好像是個孩子。屋子的另外一邊還有一具，然後又是一具……

這裡到處都是屍體和血漬！

死亡的氣息凝聚在一起，我的心臟開始怦怦直跳。不！不！這不可能！現在是白天，白天不會發生這種事情。

尖叫即將衝破我的喉嚨，突然，一隻戴著手套的大手從後面摀住我的嘴，我開始掙扎，接著，我聞到了迪米特里鬍後水的味道。

「怎麼回事？」他問道，「妳怎麼這麼不聽話呢？如果他們還在這裡的話，妳會沒命的！」

我沒有回答，一半是因爲他摀住了我的嘴，另一半是因爲我被嚇到了。我曾經見過死人一次，但是從來沒有見過這種血腥的場面。

一分鐘之後，迪米特里終於鬆開了手，但是他仍然站在我後面。我再也看不下去了，但是卻無法移開眼睛。

終於，我回過身。「現在是白天……」我喃喃說，「這種事不會在白天發生的！」

我聽出自己聲音中的絕望，就像一個小女生希望有人可以告訴她，這一切不過是場噩夢！

「這種事任何時候都可能發生。」他對我說。「而且，這也不是白天發生的，可能是兩天以前的晚上。」

我又偷偷地看了一眼，覺得胃緊緊擰成一團。死了整整兩天，曾經活生生的人就這麼煙消雲散，而這個世界上甚至沒有人知道他的死訊！

我的目光落在房間通往大廳的地方，那裡也有一具屍首，他的身材高大、健碩，不像是莫里族，迪米特里一定也注意到了。

「亞瑟．舍恩伯格！」他說。

「他死了！」我盯著亞瑟血漬斑斑的喉嚨說道，好像眼前的這一切並不能完全表明這個事實。「他怎麼會死？血族怎麼可能能夠殺死亞瑟．舍恩伯格？」

這很不可思議！一個傳說中的人物不可能被殺死！

迪米特里沒有回答我，他伸手向下，握住了我手中拿著的銀樁。我哆嗦了一下。

「妳在哪裡找到的？」他問道。

我鬆開手，讓他將銀樁拿走。「外面的地上。」

他拿著銀樁，將它放在陽光下仔細查看。「是它突破了結界！」

我的腦子還是渾渾噩噩，好一會兒才反應過來他說的話是什麼意思。

結界是莫里族做出來的的守護環，像銀樁一樣，在製造它的過程中，需要用到莫里族掌握的四種元素。結界可以阻住血族，因爲魔法只會保護活著的人，而血族都是死人。聖弗拉米爾學院就有很多結界，要想形成結界，參與打造的莫里族必須法力高強，一般一種元素需要兩名莫里族同時注入，但是，結界很快就會失效，要想維持，必須繼續注入大量的法力。

這裡也有一個結界，但是被人用銀樁破壞了——它們自身的魔法互相衝撞，最後銀樁贏得勝利！

「血族連碰都不能碰銀椿一下。」我對他說。我意識到我用了很多「不能」、「不會」這樣的字眼，要知道，當你堅定的信仰被推翻，感覺是很不好受的！「莫里族和拜爾族根本不會做這種事！」

「有可能是人類。」

我看著他的眼睛。「人類不會幫助血族……」我沒有再說下去。又來了！「不會」！但是我實在忍不住。

在和血族的戰鬥中，我們能夠數出來的他們的弱點，是十分有限的，大概只有陽光、結界和銀椿三項了。我們利用他們的弱點來對付他們，但如果他們另有幫手可以讓他們不受這些限制，比如說人類……

迪米特里的臉色陰沉沉的，仍然充滿了戒備，但是，在我忙著思索的時候，他看著我的眼神中，閃過一絲微小的同情。

「一切都不一樣了，對不對？」我問道。

「對！」他說，「全都不一樣了！」

2

迪米特里打了通電話之後，一隊貨眞價實的特種兵迅速動身，不過，他們趕到這裡，最快也要兩個小時。

等候的每一分鐘都像是漫長的一年，我終於堅持不住跑回了車裡。迪米特里在仔細地檢查過整棟房子之後，也回到車裡陪我。在漫長的等待過程中，我們誰都沒有說話。屋子裡可怕的景象像是走馬燈一樣，一直在我腦海裡閃現。我很害怕，也有些無助，希望他能夠抱著我，至少給我一點安慰。

馬上，我爲自己有這種想法而自責不已。我第一千次提醒自己——他是我的導師，他沒有義務要抱著我，不管我們身處怎樣的困境之中。而且，我想讓自己變得更強，不能在每次有事發生時，都跑向某個人的懷抱！

當第一批守護者特種兵抵達這裡時，迪米特里打開車門，臨下車前看了我一眼。「妳應該來看看怎麼處理這種情況。」

老實說，我不想再看那棟房子一眼，但我還是跟他下了車。

這些守護者我一個都不認識，迪米特里跟他們卻很熟，好像就沒有他不認識的人。這些特種兵都很驚訝這裡還有一個實習生，但是沒有人對我的出現提出異議。

他們在對屋子進行搜查的時候，我就跟在他們身後。他們沒有碰任何東西，只是跪在屍體旁邊，研究上面的血漬和被打破的窗戶。顯然，除了正門和後門，血族還有別的通道可以進入這間屋子。

守護者相互之間的交流非常直接，沒有人顧得了我的恐懼和胃部的不適，他們就像是機器人，其中一個，也是這個小組裡唯一一名女性，正蹲在亞瑟．舍恩伯格的身旁。我的心情變得很複雜，因爲女性的守護者實在是太罕見了！我聽迪米特里叫她塔瑪拉，她看起來差不多二十五歲左右，黑色的頭髮剛剛碰到肩頭，這對女性守護者來說是十分正常的事。

塔瑪拉在檢視屍體臉部的時候，眼中閃過一絲悲傷。「哦……亞瑟！」她嘆了一口氣。像迪米特里一樣，只需用幾個簡單的詞，便能傳遞出上百種意思。「沒想不到我居然會看見這一幕，他是我的老師！」塔瑪拉再次輕嘆了一聲，站起身來，表情又恢復到公事公辦的樣子，就算曾經教導過她的人就躺在她的面前。

我眞是不敢相信！他是她的導師，她怎麼能夠這麼平靜？我的心漏跳了半拍，想像著躺在地上的人是迪米特里……不！如果我處在她的位置，絕對無法做到如此冷靜！我肯定會暴跳如雷、亂踢亂叫，不管是誰來勸我說一切都會過去，我都會將那個人打得半死！

幸運的是，我不相信有人能夠幹掉迪米特里。我曾經見過他輕輕鬆鬆地殺死一個血族，他是個狠角色！是神！

當然，亞瑟．舍恩伯格曾經也是這樣的人。

「他們是怎麼做到的？」我脫口而出。

立刻，六雙眼睛齊刷刷地看向我。我以爲迪米特里會對我的莽撞給予告誡，但是他僅是露出了奇怪的神情。

塔瑪拉微微聳了聳肩，仍然一副冷靜沉著的樣子。「和他們殺死其他人一樣。亞瑟也是活生生的人，和我們一樣。」

「話是這麼說沒錯，但他是亞瑟．舍恩伯格！」

「妳告訴我們，蘿絲。」迪米特里說，「妳已經看過這棟房子了，告訴我們，他們是怎麼做到的？」

所有人都看著我，我突然意識到，在經歷了這漫長的一天之後，我終於迎來了自己的測試！我想了想自己看到的和聽到的，嚥了一口口水，想解釋清楚這種不可能發生的事是怎樣發生的。

「他們分別從四路進入這裡，這說明至少有四個血族，而屋子裡有七個莫里……」住在這裡的一家人正在款待客人，這使得這場屠殺的受害人人數增多，其中還有三名小孩。「還有三名守護者，他們全都被殺死了！四個血族不可能有這種能力，最可能的數量是六個，他們首先攻擊守護者，趁其不備將他們殺死，而皇室的人則因爲驚嚇過度，無法作出反擊。」

「他們是怎麼趁其不備，殺死守護者的呢？」迪米特里繼續問道。

我猶豫了一下。對於守護者來說，時刻提防被人偷襲是他們最基本的原則。「因爲結界被打破了！如果房屋沒有結界的守護，肯定要有一名守護者在夜間巡邏，但是他們並沒有這麼做。」

我等著下一個問題，以爲他肯定會問我，結界是怎麼被破壞的，但是，他卻沒有問，沒有這個必要了，我們全都心知肚明，因爲，我們都看見了銀樁。

迪米特里只點了一下頭，表示同意，特種兵小組繼續搜查。

我們來到浴室，之前我和迪米特里曾經察看過這裡，裡面的景象我不想再看第二遍。浴室裡躺著一個死去的男人，他乾涸的血液與雪白的瓷磚形成鮮明的對比。另外，由於這間浴室比較靠內，並不如敞開的門庭那裡冷，因此，屍體雖然沒有腐爛，但是氣味實在不怎麼好聞！

當我轉過身，我看見了鏡子上有暗紅色的東西，事實上，那更接近棕色。之前我並沒有注意，因爲浴室裡其他的景象奪去了我全部的注意力。

那是一行字，用血寫的——

可憐可嘆！巴蒂卡家人丁凋零，一族即滅，餘者亦無倖免！

塔瑪拉對鏡子上的文字嗤之以鼻，轉身檢查浴室其他的細節。

我們走出浴室的時候，那行字還在我的腦中不斷閃現——

一族即滅，餘者亦無倖免……

巴蒂卡家族是眾皇室中比較小的一支，這是千眞萬確的，但是要說將這裡的人全部殺光之後，這個家族就徹底滅亡，也不太可能。巴蒂卡家還活著的人，可能還有兩百人，這和其他家族，比如說伊瓦什科夫家族比起來，人數確實不多。有幾個皇族的人數眾多，分佈的範圍也很廣，然而，這樣的家族畢竟是少數，大部分都是像巴蒂卡家族這樣的。

比如說德拉格米爾家族，莉莎是唯一活著的人，如果血族想要剿滅一個皇族，最好的選擇就是追殺莉莎。

莫里族的血液能夠讓血族變得更有力量，我很明白他們對皇族血液的渴望。我以爲血族選取皇室爲特定目標，是出於他們殘酷暴戾的本性，諷刺的是，血族想將莫里族的社會弄得四分五裂，可他們卻曾經是這個社會的一部分。

寫在鏡子上的警告，讓我說服自己和其他人一道留在屋子裡。我的恐懼和震驚已經轉爲憤怒，他們怎麼可以這麼做？怎麼會有這麼變態和邪惡的生物，居然會對一個家庭做出如此令人髮指的事情？他們還想要消滅整個族群？他們曾經也是我和莉莎的同類，怎麼忍心做出這種事來？

一想到莉莎，一想到血族也想消滅她的家族，我的心裡便生出一股莫名的憤怒，這種突如其來的情緒幾乎令我失控，它非常黑暗，像毒藥一樣，沸騰翻湧，猶如暴風雨前夕。

我好不容易和迪米特里一起鑽進車裡，將車門重重地關上，打算返回聖弗拉米爾學院。

迪米特里驚訝地看了我一眼。「妳怎麼了？」

「你眞的看不出來嗎？」我大聲吼著，對他的疑問覺得難以置信。「你怎麼會問這種問題？你就在現場，親眼目睹了所有的事。」

「沒錯，」他同意地說，「但是我不會用車子來出氣。」

我繫緊了安全帶，對他怒目而視。「我恨他們！我恨所有的血族！眞希望我當時在場，那麼，我一定會撕開他們的喉嚨！」我已經近乎歇斯底里了。

迪米特里看著我，神情冷靜，但是很明顯，他對我的爆發感到驚訝至極。

「妳眞的這麼想？」他問我，「在看見了血族的所作所爲之後，妳眞的認爲妳能夠比亞瑟・舍恩伯格做得還要好？妳忘了娜塔莉對妳的所作所爲了嗎？」

我啞口無言。我曾經被莉莎的堂妹娜塔莉苦苦糾纏，當時她已經變成了血族，那天幸虧迪米特里及時趕到，我才得救。毫不誇張地說，就連一個剛剛變身成功的血族，都能在屋子裡置我於死地，哪怕她的身體還很虛弱，沒有適應成爲血族的狀態。

我閉上眼，深吸了一口氣，突然覺得自己十分愚蠢。我曾經親眼見識過血族的本事，要是憑著一時的衝動，只會讓自己更快踏入死亡！我正在努力變成強壯的守護者，但是要學的東西還有很多。

再說，一個十六歲的女生，根本就無法對抗六個血族！

「對不起！」我睜開眼睛，試著讓自己平靜下來。憤怒在我的體內四處流竄，我不知道這情緒到底從何而來。我是個急性子，但一般只是表現在極易衝動這方面，這種憤怒非常強烈，甚至令我覺得有些醜陋。真是太奇怪了！

「沒關係的。」迪米特里說。他扶住我的肩頭，安撫了我一會兒，然後縮回手，發動了車子。

「這真是漫長的一天！對我們所有人來說。」

我們回到聖弗拉米爾學院的時候，已經是午夜時分了，學院裡的每個人都聽說了這場大屠殺。吸血鬼學院剛剛結束了一天的課程，我幾乎已經二十四小時沒有合眼，看起來睡眼惺忪、無精打采。迪米特里命令我馬上回宿舍睡覺，他看起來仍然充滿警惕，似乎時刻準備對付突如其來的意外。

有時候我真的弄不清他到底有沒有睡覺？他待會兒要去和其他守護者碰頭，研究這次的襲擊。

我答應他會直接上床睡覺去，但是，當他在我的視線中消失，我立刻轉身朝圖書館走去。

我需要見到莉莎！而心電感應告訴我，現在她人在圖書館。

到處一片漆黑，我沿著操場上的小石路，走到二年級的主教學樓。皚皚的白雪將草地完全覆蓋，但是人行道上面的冰雪卻被剷得乾乾淨淨，這讓我想起了可憐的巴蒂卡家族廢棄的屋子。

公共教學樓高大宏偉，屬於哥德式建築，比起教學樓，它更適合用來當作中世紀題材的電影背景。神祕而古老的氣息瀰漫在整棟教學樓裡面，雕刻精美的石牆和古董畫與現代的電腦和螢光燈搭在一起，一點也不協調。現代科技在這裡擁有一席之地，但永遠也不會處於主導地位。

我偷偷溜進圖書館，向後面的角落走去，那裡存放的書籍全是關於地理和旅遊的。毫無意外地，我看見莉莎坐在地板上，斜倚著書架。

「嘿！」她對我說，手中翻著放在膝蓋上的書。她將自己額前的幾縷頭髮用髮夾夾住，而她的男朋友——克里斯蒂安，則躺在她旁邊的地板上，枕著她的另一個膝蓋。

克里斯蒂安朝我點點頭，算是打了個招呼。考慮到我們兩個之間時不時會出現的敵意，我也就不指望他會給我一個熊抱了。

莉莎朝我微微一笑，但是我知道她非常緊張和害怕，這是心電感應告訴我的。

「妳都聽說了吧？」我說著，盤腿坐了下來。

她的笑意更濃，但是，她的內心卻變得更加惶恐不安。我喜歡透過心電感應來保護她，可並不希望自己的問題也被放大。

「這太可怕了！」她邊說，邊聳了聳肩。

克里斯蒂安換了個姿勢，將自己的手指纏住了她的，用力地握了一下她的手，莉莎也用力回握了一下。這兩個墜入愛河的人彼此心意相通，甜蜜無比，我和他們兩個待過一陣子之後，牙齒都要倒了！不過，現在他們之間稍微節制了一些，這都要多虧大屠殺的新聞。

「他們說……他們說可能有六到七個，而且還有人類幫助，打破了結界？」

還眞是壞事傳千里！我將自己的頭靠在書架上，突然間覺得有些缺氧。「是眞的！」

「眞的？」克里斯蒂安問道，「我以爲那只是某些人誇張的造謠。」

「不……」我意識到沒有人知道我今天到底去了哪裡。「我……我在現場！」

莉莎睜大了眼睛，我能夠感覺到她的震撼，就連克里斯蒂安——被譽爲「機靈鬼」的孩子，同樣也是一臉震驚。如果不是這件事實在太駭人，我肯定會因爲抓到他沒有防備的表情而沾沾自喜。

「妳是開玩笑的吧？」他說道，聲音中含有一絲不確定。

「我以爲妳去參加能力測驗了……」莉莎的聲音越來越小。

「本來是這樣的，」我說，「只不過選擇了錯誤的地點和錯誤的時間。負責測試我的守護者住在那裡，我和迪米特里走進去，然後……」

我實在沒有辦法把話說完。巴蒂卡家到處是血和死屍的畫面又在我腦海中閃現。

莉莎露出關心的表情，心電感應也是這麼顯示的。

「蘿絲，妳不要緊吧？」她溫柔地問道。

莉莎是我最好的好朋友，但是我不想讓她知道這整件事令我多麼害怕和不安，我想表現得堅強一些。

「不要緊。」我緊咬著牙齒說道。

「具體情況是怎麼回事？」克里斯蒂安問道。他的聲音充滿好奇，不過也有一絲內疚。他十分清楚，探聽如此可怕的事情是不對的，但是他無法抑制自己的好奇心。缺乏控制自己情緒的能力——這是我們的通病！

「就是……」我搖搖頭，「我不想談論這件事！」

克里斯蒂安開始抗議，莉莎用手摸了摸他柔順的黑髮，那令他安靜了下來。我們兩個中間一度變得十分彆扭，我讀取了莉莎的想法，知道她搜腸刮肚地在想新的話題。

「他們說，這會打亂所有準備趁假期來探望孩子的家長的計畫。」過了一會兒之後，莉莎對我說。「多數人都不願意旅行，他們希望自己的孩子待在一個安全的地方，而且，他們害怕這群血族四處流竄。」

我沒有想到這次襲擊會帶來這種後果，離耶誕假期只有一個星期了，一般來說，每年的這個時候，學生可以回家看望自己的父母，父母也可以到學院裡和自己的孩子待上一段時間。

「這麼做會打散很多家庭的！」我喃喃地說。

「還會打亂許多皇室家庭聚會的計畫。」克里斯蒂安說。他的敵意消失不見，但是那種含沙射影的刻薄又回來了。「妳知道每年這個時候他們都會做什麼？爭著投身於盛大的派對。他們根本不知道自己一個人的時候該做些什麼。」

我對此深信不疑。我生命的意義只有戰鬥，莫里族當然也有自己的鬥爭，特別是在貴族和皇室之間。他們用語言和政治聯盟進行自己的鬥爭，老實說，我更喜歡打鬥這種直接、實在的方式。

莉莎和克里斯蒂安無疑想要攪進這淌渾水裡，因爲他們兩個都生於皇室，這代表不管是在學院裡還是在學院外，他們都會引起很多人的注意。

對他們來說，情況比其他莫里族的皇室還要嚴峻。克里斯蒂安的家族一直生活在他父母的陰影中，他的父母自願成爲血族，拋棄他們的魔法和忠誠，成爲了活死人，靠不斷地殺人爲生。現在，他的父母已經去世了，但是這不能阻止人們對他心有顧慮，人們認爲，他隨時有可能變成血族，奪去每個和他在一起的人的性命。他粗暴的態度和充滿黑色幽默的品味，對改變人們的看法根本無能爲力。

莉莎成爲眾人的焦點，是因爲她是她的家族中僅存的一名成員，再沒有另外一個莫里擁有足夠純正的血統，令他享有德拉格米爾這個姓氏。她未來的夫婿本應該是來自於她家族譜系中的一員，這樣才能保證他們的後代擁有非常純正的德拉格米爾家族血統，現在看來，成爲最後一個德拉格米爾，對她來說，也是件值得慶幸的事。

思及此，我突然想起鏡子上的警告，胃部再次翻騰起來。那種黑暗的憤怒和絕望又冒了出來，我用一個笑話把它們抑制在一旁——

「你們皇室應該用我們的方式來解決問題，揮著拳頭亂打一通，對皇室來說是件好事。」

莉莎和克里斯蒂安都笑了。克里斯蒂安帶著笑意看了莉莎一眼，露出了嘴裡的尖牙。「妳認爲呢？我敢打賭，如果是一對一單挑的話，我肯定能贏！」

「你有多厲害？」她揶揄著說，令人擔心的感覺減輕了。

「我很厲害，眞的。」他深情地望著莉莎說，令莉莎的心如小鹿亂撞，我覺得有些嫉妒。

我和莉莎是一生一世的好朋友，我能夠讀取她的想法，可是眼前的現實卻是，克里斯蒂安已經成爲她的世界中很大的一部分，而他扮演的角色，是我永遠都不可能做到的，就像他永遠不會有我和莉莎之間這種心電感應一樣。

我和克里斯蒂安彼此容忍，但是都不喜歡要奪取她的注意這個事實。有時，我們會因爲莉莎的利益而休戰片刻，但是這種停火協定就像紙片一樣薄弱。

莉莎用手摩挲著他的面頰。「老實點！」

「已經很老實了。」他對她說，聲音仍然有一絲挑逗。

我低吼一聲，站了起來。「老天！我想走了！」

莉莎眨了眨眼，從克里斯蒂安身上移開目光，顯得很尷尬。

「對不起！」她小聲地說，臉頰泛起一片微微的粉色。「妳不用走……」

她和所有的莫里族一樣，皮膚十分蒼白，這在某種程度上令她變得更加楚楚動人。

「不，我很累了！」我安慰她說。「明天再聯絡妳。」

我剛要轉過身，莉莎叫住了我：「蘿絲，妳……妳確定你沒事嗎？在經歷了那麼多事之後。」

我望向她碧玉似的綠色眼睛。她的擔心十分強烈，發自肺腑，令我胸口一暖。在這個世界上，我可能是跟她最親近的人了，但是我不想讓她擔心。我的職責是保護她的安全，她不應該爲了要保護我而費心，特別是如果血族心血來潮，想要擬定一個攻擊皇室的名單。

我向她歡快地一笑。「我很好，不用擔心，除非你們在我找藉口離開之前就剝去了自己的衣服。」

「妳最好趕緊走！」克里斯蒂安冷冷地說。

我翻了個白眼，莉莎用手肘撞了他一下。

「晚安。」我向他們道別，背過身，臉上的笑容立即消失了。

我懷著沉重的心情走回宿舍，希望今天不會夢到巴蒂卡一家！

3

宿舍樓下的大廳裡人聲鼎沸，我下樓準備去參加課前的訓練，這種騷動對我來說，一點也不意外。昨晚良好的睡眠令那種可怕的景象離我遠去，但是我清楚，無論是我還是我的同學，都不會那麼容易就將比林斯發生的事情忘掉。

而且，當我注視著其他實習生的表情和熙攘的人群時，我發現了奇怪的事情——昨晚的恐懼和緊張還瀰漫在人群當中，這是當然的，可另外卻有一種新的情緒冒了出來：興奮！有兩個剛剛成爲實習生的新人本來還在竊竊私語，可後來他們簡直高興到尖叫。他們的旁邊，有一群和我同齡的人也手舞足蹈著，臉上露出興奮的表情。

我錯過了什麼事嗎？還是，昨天發生的一切只是一場夢？

我用盡了所有的自制力，才沒有走過去找人打聽到底發生了什麼事。

如果我在這裡耽擱，訓練就會遲到，但是，好奇心快把我折磨死了！

難道是血族和他們的人類幫手被找出來處死了？這毫無疑問是個好消息，不過直覺告訴我，不是這麼一回事。

我用力推開大門，哀怨地想著我恐怕要到早餐時間才能知道的事情眞相了！

「海……海瑟薇，別……別跑！」

一個悅耳動聽的聲音叫住我，我回過頭，笑了起來。

叫住我的人是梅森．亞希弗德，也是個實習生，他是我的好朋友。梅森一路小跑，跟上我的步伐。

「你多大了？十二歲？」我口中問著，繼續向體育館走去。

「差不多。」他說，「昨天我沒有見到妳的笑容，妳去哪兒了？」

很顯然，我在巴蒂卡家的事情還沒有鬧到人盡皆知的地步。雖然這不是個祕密，但我還是不想和別人談論太多。

「和迪米特里一起訓練。」

「老天！」梅森小聲說，「那個人總是在操練妳，他不知道他正在剝奪妳的美麗和魅力嗎？」

「美麗和魅力？你今天早上學會拐著彎說話了，是吧？」我笑道。

「嘿！我只不過是在陳述事實。眞的，有我這麼一個溫文爾雅、聰明過人的人對妳念念不忘，妳眞是走運極了！」

我笑得停不下來。

梅森是個很善於和人說笑的人，尤其喜歡和我開玩笑，有一半原因是，我也是個講笑話高手，並且喜歡跟人開玩笑。不過我心裡很清楚，他對我的感覺要比朋友多一點，對此，我仍然猶豫著要如何處理。

心裡還想著自己近乎半裸地躺在迪米特里床上的情景，就去跟別人約會，好像有點困難！

「溫文爾雅？聰明過人？」我搖了搖頭，「我認為你花在我身上的精力遠不如花在你自己身上的多，有人需要被打擊一下囉！」

「真的？」他問道。「好吧！妳盡可以在斜坡上給我好看！」

我停住了腳步。「在什麼上？」

「斜坡。」他揚起了頭，「妳知道的，滑雪旅行的時候。」

「什麼滑雪旅行？」很明顯，我的確錯過了某些事情。

「今天一早妳都幹什麼去了？」他問道，看我的表情，像是看見了一個女瘋子。

「睡覺！我剛起床，大概……五分鐘之前。現在，把你知道的從頭到尾跟我說一遍，咱們邊走邊說。」說完，我們繼續前進。

「那麼，妳已經知道所有人都害怕讓自己的孩子在耶誕節假期回家的事了吧？好吧！位於愛荷華州巨大的滑雪場，本來是為莫里族的皇室和富人服務的，滑雪場的主人後來決定對我們學院的學生和學生家長開放，不管是什麼階層的莫里族都可以去。而因為大家都聚集在那裡，所以需要有大量的守護者來保護那個地方，確保那裡絕對安全。」

「你不是說眞的吧？」我說道。

我們來到體育館，走了進去，擺脫了寒冷。

梅森興匆匆地點了點頭。「是眞的，那個地方應該很棒！」他的笑容總是能讓我不由自主地回報以微笑。「我們將要嘗嘗皇室的生活了！蘿絲，最少也會有一個星期左右的時間，耶誕節一過就出發！」

我站在那裡，又興奮又震驚。我不知道有這樣的事情，這眞是個聰明的主意，可以令許多家庭在保證安全的前提下重聚。

龍蝦宴、按摩、可愛的滑雪教練……這是多麼棒的一個聚會地點啊！皇家滑雪場，我希望整個假期都可以留在那裡，這樣就不用整天和莉莎以及克里斯蒂安一起看電視。

梅森的熱情感染了我，我覺得熱血沸騰，但，很快的，這股熱血又熄滅了——

他看著我的臉，馬上發現了我的情緒變化。「怎麼了？這很酷啊！」

「是很酷。」我承認，「我明白為什麼大家都那麼興奮了，但是我們能去這個夢幻之地……呃……是因爲有人死了。」

梅森高興的表情變得稍微平靜一些了。「對，但是我們還活著。蘿絲，我們不能因爲別人死了就不再繼續生活，我們必須保證更多的人不會死掉。」他的眼神變得熾熱。「聽見發生的那樁慘案，我一心只想找個血族，把他撕成碎片！」

他聲音中的憤怒讓我想起了自己昨天爆發的怒氣，不過他的感觸可沒有我的深。他的激動看起來僅僅是憑藉著衝動和天真的臆想，而我的則來自於一種我自己也說不清、道不明的奇怪的、黑暗的不理智。

見我沒有回應，梅森困惑地看了我一眼。「妳不想報仇嗎？」

「我不知道，梅森。」我盯著地板，用力看著自己的腳尖，避免接觸到他的目光。「我是說，我不希望外面有血族繼續襲擊別人……理論上，我很想阻止他們，但是……我們連作好準備都還談不上！我領教過他們的本事……我覺得，草率行事並不是解決的辦法。」

我說完，將自己的話回想了一遍。啊哈！我的話聽起來很有邏輯性，措辭也很謹慎，口氣聽起來和迪米特里一模一樣！

「既然事情已經這樣，以上那些都不重要了。我認爲我們應該爲這趟旅行感到高興，對吧？」梅森的情緒很快又歡快起來，他變得更加隨和了。「妳最好想想滑雪的要領，我已經發出挑戰，讓妳在那裡打倒我的自戀，雖然妳根本不會贏。」

我再次笑了起來。「孩子，我把你打哭了，你會很慘的！我已經開始內疚了。」

他張大了嘴，無疑是想說出某個聰明過人的答案，但是這時他看到了某些東西……或者說是某個人，出現在我身後。

我回頭看了一眼，迪米特里高挑的身形出現在體育館的另一邊。

梅森殷勤地對我鞠了個躬。「妳的主和主人來了，稍後再聯繫，海瑟薇，記得計畫一下妳的滑雪戰略！」他打開門，消失在外面寒冷的黑暗中。

我轉過身，向迪米特里走去。

像其他的實習生一樣，我的課程有一半的時間都在進行守護者的技能訓練，有身體上實實在在接觸的格鬥訓練，也有學習血族的相關知識，以及如何對抗他們的知識。有時候，實習生都放學了，我還要進行訓練。

我仍然堅持自己從聖弗拉米爾學院逃走的決定是正確的，因爲維克多．達什科夫爲莉莎設置了太多的陷阱，但是，我們的長假最後還是走到了盡頭。在逃亡了兩年之後，我的功課遠遠落在了其他實習生之後，學院要我在上課之前和下課之後都接受訓練，以此作爲彌補，教官便是迪米特里。

迪米特里沒有穿大衣，我知道今天我們要進行的是室內訓練。這可是個好消息，外面幾乎能凍死人！另一件讓我感到高興的事，是在我看到他在訓練室的安排，沒什麼比這個令我感覺更棒的了。

訓練室裡面，沿牆擺了一排練習用的假人，那些假人做得栩栩如生，不是在粗布袋裡塡上稻草的那種。它們有男有女，穿著日常的衣服，皮膚富有彈性，髮型各不相同，眼睛的顏色也不一樣，表情有的高興、有的害怕、有的生氣。我在其他的訓練中，曾經使用過這些假人來練習拳打或者腳踢，但是我從來沒有用迪米特里手中的東西來對付過假人——一根銀樁。

「老天！」我深吸一口氣。這根銀椿和我在巴蒂卡家外面發現的一模一樣，它的尾部有手柄，好似側面沒有雕飾的劍柄，頂部的利刃和匕首的刀鋒相似，與扁平的匕首不同的是，銀椿的中段是厚厚的、圓滾滾的，愈往上愈細，最後變成一個尖，和冰錐差不多。整根銀椿的長度，比我的小臂要短一些。

迪米特里倚在牆上，站姿非常放鬆，他的這種姿態總能贏得別人的好感。他用一隻手將銀椿插進頭髮裡，銀椿翻滾了幾下，掉了下來，他立刻抓住了銀椿的手柄。

「拜託！拜託！告訴我，今天是要學習它的用法。」我哀求道。

他深邃的眼裡劃過一絲戲謔。有時候，他很難在我面前保持嚴肅的樣子。

「我今天能讓妳拿到它，就已經是妳的運氣了！」他說著，再次將銀椿插進頭髮裡。

我用渴望的眼神望著它，本想不客氣地更正他的說法，說我曾經拿到過一次，但是我知道，這種邏輯並沒有辦法讓我說服他。

於是，我將自己的書扔在地板上，脫掉我的大衣，滿懷希望地環起雙臂。我今天穿著寬鬆的褲子，腰帶已經緊緊紮好，帽T裡面穿著一件緊身背心。將黑色的頭髮緊緊地束成一條馬尾，我已經作好了迎接任何挑戰的準備。

「你想讓我告訴你銀椿的原理，還有爲什麼我在使用它的時候要時刻小心？」我發出了戰書。

迪米特里停下了手中的動作，驚訝地看著我。

「得了！」我笑道，「你不會以爲到現在我還不瞭解你的教學方式吧？我們一起訓練已經差不多三個月了，你在我進行有趣的訓練之前，總會讓我先講講要注意的地方，以及要負的責任。」

「我懂了。」他說。「好吧！我想妳已經全都想明白了，那麼，妳就想辦法讓訓練繼續下去好了，我就在這裡等著，直到妳需要我爲止。」

他將銀樁插進他掛在腰帶上的皮套裡，然後又調整了一下姿勢，舒舒服服地靠在牆上，雙手插在口袋裡。

我以爲他在開玩笑，但是他卻不再往下說，我這才意識到他是說眞的。我聳聳肩，開始將我知道的滔滔不絕地說出來。

「銀對所有具備魔法能力的生物都可以產生很有力量的影響，只要你注入了足夠的能量，它既能保護這些生物，也能傷害他們。這些銀樁的能量非常強大，因爲它們在製作時需要四名莫里族，分別在鑄造過程中注入四種不同的元素。」我皺起了眉，突然想起了什麼。「嗯，除了精神元素。所以，這些銀樁威力驚人，是唯一一種不用斬首就能對血族造成致命傷害的武器。不過，要是想殺死血族的話，必須將它刺入血族的心臟！」

「銀樁會對妳造成傷害嗎？」

我搖了搖頭。「不會。我是說……呃……會，如果你用它刺入我的心臟的話。但是它對我造成的傷害沒有對莫里族那麼大。如果莫里族被銀樁劃了一下，會傷得很嚴重，不過這也沒有對血族造成的傷害大。另外，銀樁對人類也不會造成威脅。」

我停了一會兒，心不在焉地看著迪米特里身後的窗戶。玻璃上的冷霜一閃一閃的，變成了結晶體的霜凍，可我對此視而不見。一說起人類和銀樁，我的記憶便被帶回了巴蒂卡的家，鮮血和屍體在我腦海中旋轉。

發現迪米特里正看著我，我甩開了那些回憶，繼續說下去。迪米特里偶爾會點點頭，或者作個澄清說明。隨著時間流逝，我仍舊盼望著他能夠打斷我，開始與假人過招。但是，直到我們的訓練快要結束的前十分鐘，他才不再讓我說下去，帶著我走到了其中一個假人面前。

這個假人是個男性，金色的頭髮、蓄著山羊鬍。迪米特里將銀樁從皮套裡抽出來，但是並沒有交給我。

「妳會將銀樁攻向哪裡？」他問道。

「心臟。」我很快地答道，「我已經告訴過你上百次了。現在我能拿著它了嗎？」

他破例笑了一下。「心臟在什麼位置？」

我給了他一個「別逗了」的表情，他只是聳聳肩。爲了強調，我用誇張的動作指了指假人的左胸口，他搖了搖頭。

「心臟不在那。」他對我說。

「當然在！人們在說效忠誓詞和唱國歌的時候，都用手摀住那裡。」

他繼續用期待的目光看著我。

我轉過身，仔細地研究著假人。我記得在學心肺復甦術的時候手要放的地方，於是拍了拍假人的胸口。「是在這兒嗎？」

他揚起了一條眉毛。通常我會認爲他這麼做非常酷，不過今天我決定忽略它！

「我不知道。」他說，「是嗎？」

「是我問你的！」

「妳不該問我。你們沒有開生物這門課嗎？」

「開了，一年級開的，我那時還在『度假』，想起來了嗎？」我指著閃閃發光的銀椿。「請問，我現在可以碰碰它嗎？」

他又將銀椿收了回去，銀椿在空中劃了一條亮線，最終消失在皮套裡。「希望下次見面的時候，妳能夠告訴我心臟的位置，具體位置，我還想知道心臟連接著哪些地方。」

我惡狠狠地瞪了他一眼，不過從他的表情來看，可能沒有我想像中的兇狠。

十次裡面會有九次，我認爲迪米特里是地球上所有兩條腿的生物中最性感的一個，剩下那一次就是像今天這次……

我走在去上格鬥課的路上，情緒非常低落。

在迪米特里面前，我不想表現得很沒用，而且我眞的眞的很想試試銀椿，所以，在上課的時候，我將怒氣發洩在我能打或者能踢的任何對手上。我不小心擊中了梅爾黛絲，她是班上少數幾個女生之一，力道之大，讓她覺得連小腿骨頭裡面都痛，我的道歉於事無補，下課的時候，沒有人敢與我爲敵。

這時，梅森看見了我。

「哦！老天。」他仔細地看著我的表情，說道：「誰惹妳了？」

我馬上將銀椿和心臟的事說給他聽。

看著我氣鼓鼓的樣子，梅森笑了起來。「妳怎麼會不知道心臟在什麼地方？特別是在妳令這麼多人的心碎成一片片之後！」

我像瞪迪米特里一樣惡狠狠地瞪了梅森一眼，這次倒是收到了效果，他的臉變得慘白。

「貝里科夫是一個討厭、惡毒的人，他應該被扔進一群像瘋狗一樣的吸血鬼中，只爲了他今早對妳的冒犯。」

「謝謝。」我一本正經地說，說完，我想了想，問道：「吸血鬼也會發瘋嗎？」

「我看不出爲什麼不可以。所有人都可能發瘋，至少我是這麼想的。」他爲我打開了門，「不過，加拿大的鵝可能比吸血鬼更糟。」

我瞟了他一眼，「加拿大的鵝比吸血鬼還要致命？」

「妳曾經試過餵那些小混蛋嗎？」他問道，拚命裝出一副認眞和挫敗的樣子。「牠們簡直太壞了。如果把妳扔給吸血鬼，妳很快就會死，但如果是鶚呢？牠們會折磨妳好幾天，更痛苦！」

「哇哦！我不知道自己是該銘記在心，還是要對你說的那些進行反駁。」我回應道。

「只要想個有效的辦法來捍衛妳的名譽，那就夠了。」

我們站在第二堂課教室的門口，梅森的表情仍然輕鬆，像是在開玩笑，不過當他再次開口的時候，聲音裡卻帶有一絲建議的意味。「蘿絲，我和妳在一起的時候，總是想著各種能夠奏效的辦法。」

我驚訝地看著他。一直以來，我都知道梅森很可愛，但是，看到他眼中飽含的認眞和深邃，我第一次發現，他其實屬於很性感的那種男生。

「看！」他笑著說，強調他捉住我沒有防備的一刻有多麼不容易。「蘿絲也有啞口無言的時候！亞希弗德一分，海瑟薇零分。」

「嘿！在去旅行之前我可不想讓你哭，在我們踏上滑雪場之前就打敗你，這一點也不好玩！」

他又笑了起來，我們走進教室，這堂課是身體守護理論，需要在眞正的教室裡上，而不是那些訓練場地，這在密集的身體操練中是很好的休息。

今天，有三名不屬於學院編制的守護者前來。八成是趁假期來拜訪的人吧！我猜。想到家長們已經帶著他們的守護者到學院和孩子會合，準備一起前往那個滑雪場，我的興趣立刻跌到谷底。

其中一名守護者是個瘦高的傢伙，他好像已經活了幾百歲，但是仍然能夠踢別人的屁股。另一個和迪米特里的年紀差不多，他的皮膚是深褐色的，身材保持得非常好，班上已經有幾個女生作好昏倒的準備了。

最後一個守護者是女性，她紅褐色的短髮捲捲的，棕色的眼睛瞇起來，像是在想什麼事。正如我說過的，許多拜爾族的女性寧願在家照顧自己的孩子，而不願意當一名守護者。鑒於我是少數選擇當一名守護者的女性，通常我見到其他的女性守護者都會很激動，比如塔瑪拉。

只是，來人不是塔瑪拉。這個人我已經認識很久了，她總能引起我的各種情緒，除了驕傲和激動。我對她懷有深深的怨恨、怨念，以及熊熊燃燒的怒火。

站在教室前面的這個女人，是我的媽媽！

4

眞是不敢相信！竟然是珍妮．海瑟薇——我媽媽，我那個不是普通的有名和漂亮，卻不怎麼容易見到的媽媽。她不像亞瑟．舍恩伯格，但是，在守護者界，她享有和明星一樣的聲譽。我有好幾年沒見過她了，因爲她一直在執行同一個不平凡的任務，可是現在……她就在學院裡，就在我面前，她甚至沒打算費心通知我她來了。

這就是我媽媽！

不過……她到底來幹什麼？

答案很快就揭曉了！所有來學院的人都要分組接受他們的保護，我媽媽負責保護的是貴族澤爾斯基一脈，而這個假期，他們家的許多成員都會出現，她便理所當然地一起出現在這裡。

我滑到自己的椅子上，內心深處有些顫慄。我知道，她肯定看見我進來了，但是她的注意力卻放在別的地方。

媽媽穿著牛仔褲和米黃色的T恤，外面套著一件我見過最難看的粗布外套。她只有五英尺高，和其他守護者比起來，身材顯得很矮小，不過，她的氣場和站姿，卻讓她看起來顯得比其他人都要高。

我們的老師斯坦向我們介紹了這些客人，並且向我們說明他們會跟我們分享一些親身經歷。

斯坦在教室前面踱來踱去，講話的時候，眉毛不停一抖一抖的。

「我知道這很不尋常。」他解釋說，「前來訪問的守護者，一般都沒有時間為我們講課，但是，我們的三位貴客卻在今天抽出空來和大家聊一聊。最近發生了很多事……」他沉默了片刻，我們不需要別人再補充說明，也知道他指的是什麼。

斯坦清了清喉嚨，試著繼續講下去：「最近發生了很多事，我們認為，也許是時候讓你們瞭解一下，真正執行任務時會發生什麼情況了。」

全班的人都興奮了起來，聽故事，特別是聽充滿了鮮血和打鬥的故事，比起分析課本上的理論來說，無疑是天堂！很明顯，學院的其他守護者也有這種想法，他們經常會到我們的課堂上來，但是今天的人數比以往要多很多，他們都站在教室的最後面，迪米特里也在其中。

那個年長的守護者最先開口，開始講述自己的故事，我馬上便聽得入了迷。故事是說，有一次，他守護的家族中最小的一個孩子，誤闖了一個血族經常出沒的地方。

「太陽就要下山了，」他用沙啞的聲音說道，手還向下揮動，顯然是在示範太陽下山的過程。「我們只有兩個人，必須快速作出如何行動的決定。」

我身子前傾，手肘支在桌子上。守護者執行任務的時候，一般都是兩人一組，一個站在近處，通常是貼身守護著被保護者，另一個站在遠處的守護者則負責偵察整片區域，離得遠的守護者還要避免與他們有眼神的交流。

我立刻意識到他們進退兩難的處境，如果換成是我，應該會在其他守護者都去尋找那個孩子時，派貼身的守護者將其他人護送到一個安全的地方。

「我的搭檔負責將這個家族的其他人送到一家酒店，我則開始搜查剩下的區域。」這個年長的守護者繼續說。我爲自己作出了正確的決定而有些得意。

最後，故事是大團圓結局，孩子被找到了，他們沒有碰上任何血族！

第二名守護者講的軼事，是他如何阻止一個血族圍捕幾名莫里。他確實很可愛，坐在我隔壁的女生睜大了眼睛，愛慕地看著他。

「當時甚至不是我値班！」他說。「我去拜訪一個朋友，還有他所守護的家族。剛剛從他們的住處離開，我便瞥見陰影裡藏著一名血族。他沒有想到會有守護者從裡面出來，我繞了一圈，走到他身後，然後……」他做了個釘入銀椿的手勢，比前面那個年長守護者的手勢還要有感染力，甚至誇張到模仿了將銀椿刺入血族心臟之後，自己是怎麼用力扭動的。

下面就輪到我的媽媽了，在她開口之前，已經有一群人轉過來看向我，而當她開始講述時，看我的人變得更多了。

我發誓，如果不是我相信她沒有編造這種故事的能力，她毫無品味的衣著也表明她眞的沒有這種想像力，我眞的會以爲她是在說謊。這可不僅僅是個故事，這簡直就是一部史詩般的傳奇，可以被改編成一部電影，然後贏得奧斯卡金像獎！

她說她保護的對象——澤爾斯基大人和他的妻子，某天參加了另一個顯赫王室所舉辦的舞會，途中有幾個血族埋伏著，我媽媽發現了其中一個，立刻用銀樁刺死了他，然後她又通知其他守護者。在他們的幫助下，她追捕到了其他埋伏著的血族，並且結束了大部分血族的性命。

「這並不容易！」她解釋說。

如果這句話是從別人口中說出，無疑像是在自誇，但她不一樣，她講出來的話會讓人覺得那就是事實，不帶一絲誇耀的成分。

她之前在格拉斯哥住過一段時日，所以講話還留有一絲蘇格蘭口音。「舞會上還有三個血族，在當時，這麼多血族一起行動被認爲是很嚴重的情況，但現在看起來卻沒有什麼大不了。你們也知道巴蒂卡家的大屠殺……」

有幾個人在她提到這次慘案的時候，顯得畏畏縮縮，而我則彷彿再一次看見了那些屍體。

「我們必須立刻處死還苟活的血族，越快越好，越悄無聲息越好，所以不能驚動其他人。現在，如果你有能力，殺死血族的最好方式就是從後面襲擊，擰斷他們的脖子，然後再用銀樁刺入他們的心臟。擰斷脖子不能令他們斃命，這是當然了，但卻可以使他們昏迷，在他們發出任何響動之前殺死他們。最困難的部分，就是如何悄悄接近他們，因爲他們的聽覺非常靈敏。我比大多數守護者身材要小、身子要輕，我的動作相當輕，所以剩下的三個血族裡，有兩個都是我殺死的。」再一次，她用那種實事求是的腔調，描述了她的技術。眞煩人！如果她公開地炫耀自己的本領有多高強，那倒還好。

我的同學們都是一臉嚮往之情，很明顯，比起分析我媽媽的敘事技巧，他們更中意擰斷血族脖子的這個點子。

她繼續講述那個故事——當她和其他幾名守護者幹掉了剩餘的血族之後，他們發現舞會上有兩名莫里族被捉走了，他們的守護者也身受重傷。

「理所當然，我們不能丟下那兩名被血族帶走的莫里族不管，」她說，「我們根據血族留下的痕跡，找到了他們的老巢，發現那裡還住著好幾個血族。我知道你們都明白這有多麼罕見。」

確實如此。血族邪惡和自私的本質，讓他們很容易將自己的同伴當做食物，如果他們的腦海中有了明確可襲擊的目標，有組織的行動無疑是最好的選擇，但是住在一起？這眞是連想都不用想。

「我們設法解救了兩名被抓走的莫里，這時才發現還有其他人被關押在這裡。」媽媽說，「可是我們又不能讓我們救出來的人自己回去，所以，和我一起前來的守護者便護送他們出去，我一個人留了下來。」

對，必然如此，我媽媽勇敢地獨闖龍潭虎穴，依照計畫，她被人抓走，設法逃了出來，並且救了其他的人。在這個過程中，殺死血族的三種方法，她全部都用上了——銀椿、斬首、用火燒。

「我剛剛用銀樁刺中一個血族，另外兩個就向我發起了攻擊。」她說道，「他們向我撲過來的時候，我還來不及將銀樁拔出來，幸運的是，附近有一個壁爐，我將其中一個血族推了進去。最後一個追著我來到了外面一個破舊的小屋，屋裡面有一把斧頭，我用它將血族的頭砍了下來，然後拿了一罐汽油回到屋子裡，被推進壁爐裡的那個血族還沒有完全被燒死，我將汽油潑向他，他身上的火焰馬上竄得老高！」

全班的人在她講話的時候，都露出敬畏的神情。嘴巴張得大大的、眼睛瞪得圓圓的，安靜得連一點聲音都沒有。我環顧了一下四周，覺得此時此刻大家似乎都被凍住了，只除了我，我似乎是唯一一個沒有被她悲壯的故事所打動的人。

當她講完之後，有十幾個人舉起手來，爭著向她提問，比如技巧，或是她當時是否害怕之類的。

看到其他人的樣子，我忍不住火大起來，聽完大概十個問題以後，我再也忍不下去，舉起了手。她過了一會兒才發現我，允許我提問。

發現我也在教室裡，她似乎驚訝了一下。我認爲自己還算走運，好歹她還認得我。

「那麼，海瑟薇守護者，」我開始說道，「爲什麼你們沒有保護好那個地方呢？」

她皺了皺眉。我猜她剛剛叫我的時候，還沉浸在她的英勇故事裡。「妳這是什麼意思？」

我聳聳肩，懶散地坐在我的桌子上，嘗試著營造出一種隨意的談話氛圍。「我不知道。在我看來，似乎是你們把事情搞砸了！爲什麼一開始你們沒有徹底搜查那裡，確保那裡沒有血族出沒呢？這麼做的話，也許可以替妳省掉很多麻煩。」

屋子裡所有人的眼睛都看向我，我媽媽一時之間似乎想不出要怎麼反駁我。

「如果我們沒有解決掉這些所謂的『麻煩』，世界上就多了七個到處流竄的血族，被他們關著的那幾個莫里現在也許已經死了，或者變成了血族。」

「對，我明白你們這些人那天所做的一切，但是請允許我回到規則上來。我是說，這是一堂理論課，對不對？」我瞥了斯坦一眼，他正憤怒地看著我，我和他在課堂上發生衝突的歷史可以追溯到很久以前，我猜，我們的下一場戰役即將開始。「所以，我只是想弄明白，一開始到底是哪裡出了問題？」

我不得不說，我媽媽的自我控制能力該死的要比我強得多，如果我們兩個調換角色，現在我已經走過來狠狠地揍她一拳了！她的表情仍然非常冷靜，但是嘴唇卻微微用力，顯示出她還是被我激怒了。

「事情並沒有那麼簡單。」她回答我，「舞會地點的佈局非常複雜，一開始，我們檢查過一遍，但是什麼都沒有發現。我確信血族是在舞會開始之後進來的，或許有我們不知道的暗道和密室。」

全班同學在聽到「暗道」這個詞時，都發出「哦」或者「哇」的聲音，只有我面無表情。

「那麼，妳是承認要嘛是你們的第一遍偵察出現了失誤，要嘛就是在舞會期間血族打破了你們的『保全系統』。不過，不管怎麼看，這都像是某人的失職。」

她的唇抿得更緊了，聲音也變得冷冰冰的：「在這種不尋常的狀況中，我們已經盡力做到了最好。我能明白，你們這種程度的孩子可能無法從我的描述中領悟當時情況的複雜，不過，一旦你們有了切實感受，而不僅僅是停留在理論上，你們就會知道，現實和理論有多麼不一樣！」

「確實如此。」我附和說，「可我問妳確實的方法了嗎？我是說，那種能讓妳獲得閃電紋身的方法，我說的沒錯吧？」

「海瑟薇小姐。」斯坦深沉的聲音在教室中迴盪。「請收拾好妳的東西到外面去，等我們大家下課。」

我疑惑不解地看著他。「你是認眞的嗎？從什麼時候開始，連提問也有錯了？」

「錯的是妳的態度。」他指著教室門，「出去！」

教室裡鴉雀無聲，氣氛比他們聽我媽媽講故事的時候更沉凝。在眾人的目光下，我盡量讓自己的背影顯得高大。

這不是我第一次在迪米特里的注視下被趕出斯坦的課堂，我將自己的書包甩到肩後，抄近路走到了門邊，但還是像足足走了一英里。

在下課前五分鐘，我媽媽從教室裡溜了出來，朝坐在走廊上等著下課的我走來。她低頭看著我，以那種令人生厭的方式將手放在臀部，力圖讓她自己顯得高一點。

在一個比我矮了足足有半英尺的人面前，我卻感覺如此渺小，這不公平！

「嗯，我看得出來這幾年妳並沒有變得比較有教養一點。」

我站起來，覺得自己能掌控全局。「見到妳很高興，妳還認得我，眞是令我受寵若驚。事實上，我還以為妳不記得我了，因為妳甚至沒費心知會我一聲說妳要來。」

她的手從臀部拿下來，改為在胸前環抱，顯得更加冷靜。「我不能無視自己的職責，只為了寵溺妳。」

「寵溺？」我質問道。這個女人在她這輩子中從來沒有寵溺過我，我甚至不敢相信她還知道這個詞。

「我不指望妳能夠理解。就我聽到的來看，妳根本就不瞭解『職責』的含義！」

「我很明確地知道它的含義。」我回答她，帶著一種傲慢。「比大多數人理解得都要深刻！」

她睜大了眼睛，擺出一副帶著嘲諷的驚訝表情。

我曾經對許多人都擺出過這副樣子，一點都不喜歡也被人如此對待。「哦？眞的嗎？那麼前兩年妳在哪裡？」

「過去的五年，妳又在哪裡？」我問道，「如果沒有人通知妳的話，妳會知道我不見了嗎？」

「別把話題引到我身上，我不在妳身邊，是因為我不得不這樣。而妳不在學院，是因為妳可以去購物、賴床。」

聽到她說的，我隱忍了多年的委屈和難過終於爆發了出來。顯然，我帶著莉莎偷跑這件事，永遠不會被人遺忘！

「妳根本就不知道我爲什麼要離開！」我提高了音量，「妳無權過問我的生活，因爲，妳根本就什麼都不瞭解！」

「我讀過那些報告了，妳有說得過去的理由，但是，妳的作法卻是大錯特錯！」她的用詞嚴厲、斬釘截鐵，都可以來我們這裡教課了！「妳應該去尋求其他人的幫助。」

「我找不到可以求助的人，尤其是在我沒有確實的證據時。另外，我們一直被教導說應該學會獨立思考。」

「是應該獨立思考，」她回答我說，「重點是『學會』。這兩年間妳錯過了很多知識，根本沒有資格來質問我有關守護者守則的事情！」

我在與人爭論的時候，情緒總是很緊張，這是與生俱來的，無法避免。所以，我已經習慣了自我保護，並且羞辱攻擊我的人。

我的臉皮很厚，但是不知爲什麼，和媽媽在一起的時候，我總覺得自己像個三歲的孩子。她的態度已經令我非常難堪了，又提到了我錯過的訓練，這是個敏感的話題，我的心情更差了！

我也將雙臂環抱在胸前，模仿她的樣子，設法擺出一副高傲的表情。

「是嗎?好吧!不過我的老師似乎不是這麼想的。就算功課落後那麼多，我還是趕上了我們班的水準。」

終於，她用平靜的聲音說道：「如果妳沒有離開，妳會遠遠超過他們!」

她用標準的軍姿轉過身，消失在走道盡頭。一分鐘以後，鈴聲響起，學生們從斯坦的教室裡衝出來，擠滿了大廳。

這件事過後，就連梅森都沒有辦法逗我開心了，剩下的一整天裡，我一直悶悶不樂，用腳趾頭想都知道其他人在談論我和我媽媽。

我直接省掉午飯，朝圖書館走去，找了一本關於身體解剖的書來消遣。熬到了該去參加課後訓練的時間，我立刻飛奔向那些訓練用的假人。

我握起拳，用力打著假人的胸口，力道稍稍帶過左胸口，但是大部分都是作用在胸口正中。

「就是這裡。」我對迪米特里說，「心臟的位置就在這裡，周圍有胸骨和肋骨。我現在能用銀樁了嗎?」

我雙臂環胸，得意地看著他，等著他因為我的聰明機靈而表揚我。但他只是讚許地點了點頭，好像我本來就應該知道一樣。對，我本來就應該知道的。

我嘆了口氣，發現回答一個問題，只能帶來下一個問題——這是他的特色。

我們訓練的大部分時間，都花在一問一答上面，他也演示了幾個能夠一擊斃命的動作，每個動作都那麼優雅，但又威力巨大，他做起來雖然輕鬆，但我知道事實並非如此。

突然，他伸手將銀椿遞給我。一開始，我還沒有反應過來。

「你把它給我了？」

他的眼睛閃閃發光。「我不相信妳會把它還給我，我猜妳一拿到手就會逃跑了。」

「你曾經教過我要還回什麼東西嗎？」我問道。

「不是每件事。」

「但『有的事』如此。」

我聽出自己的語氣帶有雙關的暗示，眞不知道它是從哪裡冒出來的？我很早以前就接受了事實，知道有太多的理由讓我不能對他再抱有幻想，哪怕就一小會兒，我也偷偷地希望他能夠和我一樣，也流露出一丁點，這足夠讓我判斷，他是不是還喜歡我？我是不是還能令他瘋狂？現在看著他，我明白他不會透露一絲一毫，因爲，我不再令他瘋狂了，這眞是令人絕望的想法！

「當然，」他說，沒有帶出任何暗示，我們談論的東西超過了課堂教學。「和其他事情一樣，要保持平衡，要知道什麼時候勇於進取，也要知道什麼時候該自己一個人。」他特別強調了一下最後一句。

我們的目光短暫地接觸了一下，我能感覺全身竄起一股電流。和往常一樣，他選擇裝傻，只肯當我的老師，這確實是他應該做的。

我輕嘆一聲，將我對他的幻想從腦海中揮去，努力去想我即將要拿到的武器，這是我從孩提時代就夢想擁有的東西。

這時，我又想起了巴蒂卡一家。外面還有血族在流竄，我必須集中精力！

我幾乎是恭恭敬敬地伸出手，握住了銀樁的手柄。金屬摸起來冷冰冰的，刺痛了我的皮膚。爲了握得更穩，手柄的部分有一些花紋，但是手指的感覺告訴我，其餘的部分表面像玻璃一樣光滑。

我將銀樁舉到自己眼前，花了很長時間細細地看它、適應它的重量，雖然很渴望馬上轉過身，用它刺向所有的假人，但我沒有這麼做，我只是抬起頭，看著迪米特里，問道：「第一步要怎麼做？」

按照他的經典方式，先從基本動作教起，指導了我拿銀樁的方式以及幾個動作，過了一會兒，他終於允許我用它去攻擊一個假人。

正如我所料，這並沒有看起來那麼輕鬆，多年的進化使得胸骨和肋骨對心臟起了很好的保護作用，但雖然如此，迪米特里並沒有喪失對我的信心和耐心，他細心地指導我每一個動作，更正每一個細節。

「從肋骨上方刺入，」他說道，看我嘗試著將銀樁的尖端從骨頭中間刺進去。「妳的身高不如妳的攻擊對象，這會讓妳更容易刺入。另外，妳也可沿著下面的肋骨邊緣刺進去。」

練習結束時，他收回了銀樁，點點頭，表示他的讚許。

「很好！非常好！」

我驚訝地看了他一眼，平時，他不太會說這麼多表揚的話。

「眞的？」

「妳的動作像是已經練習了好幾年。」

高興爬上了我的臉龐，我們向訓練室外面走去，快走到門口的時候，我發現了一個長著紅色捲髮的假人，突然，斯坦課上發生的所有事都湧入了我的腦海，我對它怒目而視。

「下次我能用它練習嗎？」

他撿起自己的大衣穿好，那是一件長版的棕色大衣，眞皮的，看起來就像是牛仔穿的，但是他從來不承認這點。他對過去的西部有一種神祕的嚮往，我不太明白這是爲什麼，不過，我也不太明白他對肌肉奇怪的偏愛。

「我覺得這種想法很不好。」他說道。

「但總比我眞的對她這麼做好。」我抱怨著將書包甩到我的肩後，和他一起走出了體育館。

「暴力不能解決妳的問題。」他一針見血地說。

「是她有問題！而且我認爲，到目前爲止我所接受的訓練，都在說暴力就是解決問題的關鍵！」

「只限於那些對妳率先使用暴力的人。妳媽媽並沒有毆打妳，妳們倆只是太像了，僅此而已。」

我停下了腳步。「我才不像她！我是說……我們可能有一樣顏色的眼睛，但是我比她高，我們的頭髮顏色也不一樣。」我指了指我的馬尾辮，生怕他不知道我的棕色頭髮和我媽媽的紅髮不一樣。

他臉上還是帶著那種覺得好玩的神情，但是他的眼神裡卻有更深的意味。「我說的不是妳們的外表，妳知道的。」

我避開了他什麼都明白的目光。

我對迪米特里幾乎是一見鍾情，這可不僅僅是因爲他長得很帥，我總覺得他能明白我身上連我自己都不明白的東西，而有時，我也很肯定我可以理解他身上連他自己也不明白的東西。唯一的問題是，他有一種令人不快的習慣——總是想要指出我不想讓人明白的地方。

「你覺得我在嫉妒？」

「妳嫉妒嗎？」他問道。我討厭他用一個問題來回答我的問題。「如果是這樣，妳到底在嫉妒什麼呢？」

我看向他。「我不知道，也許是嫉妒她的聲望，也許是嫉妒她爲了聲望而不管我，我不知道。」

「妳不覺得她的所作所爲很了不起嗎？」

「很了不起？不，那些聽起來就像是……像是她在自賣自誇。」

「妳認爲打倒幾個血族就能贏得紋身了？我以爲從巴蒂卡家的事情當中，妳應該學到了不少。」

閃電的紋身是對守護者殺死血族的獎勵，每個紋身都像是用閃電形成的小X。它們被紋在守護者的脖子後面，表明這個守護者經歷了哪些事情。

我覺得自己很蠢。「那不是我……」

「來吧！」

我站住了。「什麼？」

我們本來朝著宿舍的方向走，現在他正領著我向相反的方向走去。「我有東西要給妳看。」

「是什麼？」

「不是所有的紋身都充滿了榮譽。」

5

我不知道迪米特里指的是什麼，但我還是乖乖跟在他的身後。令人吃驚的是，他居然帶著我離開了學院的範圍，走進了周圍的防護林。

學院擁有大片的土地，但不是所有的土地都被用在教育上。我們位於蒙大拿的偏遠之地，現在看起來，整個學院似乎隱藏在荒郊深處。

我們默默地走了一段，腳下的積雪厚厚的，未曾被人踩過，我們走在上面時，發出嘎吱嘎吱的聲響。偶有幾隻飛鳥飛過，用牠們美妙的歌聲迎接初升的日光。放眼望去，看見得最多的，卻是層層疊疊、枝頭上掛著沉甸甸積雪的常青樹。

我必須很努力才能跟上迪米特里的步伐，尤其積雪還拖慢了我的速度。不久，前方出現了一個模模糊糊的黑影，看輪廓，像是棟建築物。

「那是什麼？」我問道。

在他開口回答之前，我看清了那是一間小木屋，用原木建造而成。走近一些之後，我才發現，這些木頭年代久遠，已經有些腐爛了，屋頂也有一點點下陷。

「原來的瞭望屋。」他回答道，「守護者曾經住在這裡，注意血族的動向。」

「為什麼現在不住了？」

「我們沒有那麼多守護者可以派來這裡值班，而且，莫里族在學院周圍佈下的結界，也足夠抵禦血族了，大部分人都覺得沒必要讓活生生的人來站哨。」

那時肯定沒有人類用銀樁來破壞結界——我心裡想道。

有那麼一陣子，我都自欺欺人地幻想著，也許迪米特里要帶我到一個非常羅曼蒂克的地方。

但，當我看到了小木屋，我的幻想破滅了，一個熟悉的感覺在我腦中浮現——莉莎在這裡！

迪米特里和我走到木屋的拐角，我看見了驚人的一幕——一個結冰的小池塘旁邊，莉莎和克里斯蒂安正在上面溜冰，還有一個我不認識的女人和他們在一起，但是她背對著我，我能看見的，只是她在優雅地站住之後，烏黑的頭髮飄飄落下。

「蘿絲！」莉莎看見我之後，笑了起來。

在她喊我的時候，克里斯蒂安看了我一眼，我知道他是氣我打斷了他們在一起的浪漫時光。

莉莎磕磕絆絆地滑到池塘旁邊，她還沒有熟練地掌握滑冰的技巧。我只能迷茫地看著她，或者說是嫉妒。

「謝謝妳邀請我參加你們的聚會。」

「我覺得妳太忙了。」她說，「而且這本來就是要避人耳目的事，我們不應該在這裡出現的。」

克里斯蒂安滑到她身邊，那個陌生的女人就跟在他身後。「是你帶來的不速之客嗎？迪米卡。」她問道。

我很奇怪她是在跟誰講話，直到我聽見迪米特里的笑聲，這才明白過來。他平時不怎麼喜歡笑，因此，我更加好奇了。

「要讓蘿絲離她不該去的地方遠一點，簡直太難了！她總是不知不覺就找去了。」

那個女人笑了笑，轉過身來，飄飄的長髮垂落在肩頭，讓我得以將她的容貌看個清楚。

我幾乎是用盡了身體的每一分力氣來控制自己，不讓自己心中已經升起的疑心顯露出來。她心形的臉和冰冷清澈的藍眼睛，幾乎和克里斯蒂安的一模一樣，對著我微笑的嘴唇精緻而可愛，粉嫩的顏色使得她的唇成為五官中最顯眼的一個。

但是，她的左臉本應該光滑平整、雪白的皮膚上卻鼓起了一道紫色的傷疤。傷疤的形狀，很像是被別人用牙齒咬住左臉，然後撕下了一小塊。我突然意識到，這應該就是傷疤形成的原因！

我知道她是誰了！她是克里斯蒂安的姑姑。

當他的父母變成了血族之後，曾經回來找過他，希望把他帶走並藏起來，然後等他長大之後也把他變成血族。我不知道具體的細節，但是我知道他的姑姑阻止了他們。

就我以前的觀察來說，血族是很致命的。她和他們周旋了很久，直到守護者們趕來，只不過，她自己沒能全身而退。

她伸出戴著手套的手，「塔莎．歐澤拉。」她對我說，「妳的大名，我可是早就有所耳聞了，蘿絲。」

我略帶威脅地看了克里斯蒂安一眼，塔莎笑了起來。

「不用擔心，」她說，「都是誇妳的話。」

「不，並不都是。」克里斯蒂安更正道。

塔莎火大地搖了搖頭，「老實說，我不知道他是從哪裡學來這麼糟糕的交朋友方式，但肯定不是跟我學的。」

這太顯而易見了！我想道。

「你們在這裡做什麼呢？」我問道。

「我想和這兩個人一起待一會兒。」她輕輕地擰了擰眉頭，「但是我實在討厭繞著學院一圈一圈地走，尤其是那裡的人又不怎麼友好……」

一開始，我沒有明白她的話，學院的管理者一般對前來拜訪的皇族總是很盡心盡力。後來，我明白過來了。

「因爲……因爲原來的那些……」

想想其他人因爲克里斯蒂安父母的關係，是怎麼對待他的，我就不應該對他的姑姑有這種顧慮而感到驚訝了。

塔莎聳聳肩。「人性如此。」她搓了搓雙手，呼了口氣，呼出的氣體在空中變成一團白霧。「我們還是不要站在這裡，進屋烤個火吧！」

我憂傷地看了結冰的池塘一眼，跟著其他人進了屋。

小木屋裡空蕩蕩的，覆滿了厚厚的灰塵。整棟房子裡只有一個房間，角落裡放著一張床，上面什麼都沒有鋪。屋子裡有幾個架子，原來應該是用來存放食物的。

很快地，我們在壁爐生起了火。我們五個人都坐了下來，擠在溫暖的壁爐周圍。塔莎有一小包棉花糖，我們將它放在火上烤。

享用過美味之後，莉莎和克里斯蒂安兩個人像以往一樣，隨意地調整了一個舒服的姿勢，低頭竊竊私語。令我驚訝的是，塔莎和迪米特里交談的方式是如此輕鬆熟稔，很明顯，他們兩個人是舊識。

我從未見過迪米特里如此興致盎然，就算是和我在一起，他的四周也總是環繞著嚴肅的氣場。但是，和塔莎在一起的時候，他卻能夠說說笑笑。

塔莎說得越多，我越喜歡這個人，終於，我加入到這場談話中，問道：「那麼妳會和我們一起去滑雪旅行嗎？」

她點點頭，輕輕地打了個呵欠，像貓咪一樣伸了個懶腰。「我已經許久都不曾滑過雪了，因爲沒時間。這次可是用光了我所有的假期！」

「假期？」我好奇地看著她，「妳是說，妳要工作？」

「很不幸，就是這樣。」塔莎說道，可她的聲音中並沒有露出絲毫的不高興。「我負責教格鬥課。」

我驚訝地看著她。如果她說她是個宇航員或者電話心理諮詢師，我都不會這麼驚訝。

許多皇族根本是不工作的，如果他們上班的話，多半也會找一些投資類或者能夠錢生錢的工作，來擴大他們家族的財富，根本就不會有人找像武術老師這樣有實際體能需求的工作。

莫里族有許多特殊的能力，比如超能的感官，包括嗅覺、視覺和聽覺，還有掌握魔法的能力。但是在身材方面，他們又高又瘦，骨架十分細弱，一旦曝露在陽光下，就會變得很虛弱。到了今天，這些缺點不會是他們成為一名戰士的致命缺點，但想要做一名眞正的戰士，對他們來說確實充滿了挑戰。

經過長時間的演變，莫里族普遍接受的一種觀點是——無法突破別人的防守是他們最大的恥辱，更有很多人對自己居然會產生打架這樣的想法而感到慚愧。他們藏身於四周固若金湯的地方，比如學院，習慣於依賴比他們強壯、結實的拜爾族來保護他們。

「妳有什麼高見，蘿絲？」克里斯蒂安對我被嚇了一跳覺得很有趣，「妳覺得妳能打倒她嗎？」

「搞不好……」我老實答道。

塔莎朝我笑了笑。「妳太謙虛了！我見識過你們的本事。武術只不過是我偶爾興起的興趣。」

迪米特里輕輕笑了起來。「現在，太謙虛的人是妳。這些學生裡，有多半都需要妳好好調教。」

「沒有那麼多。」她說道，「被一群年輕孩子海扁一頓，可是令人十分尷尬的事情喲！」

「這不太可能吧！」迪米特里說，「我倒是記得妳好像痛扁過尼爾．澤爾斯基一頓。」

塔莎翻了個白眼。「將我的飲料潑到他的臉上可算不上痛扁，除非你認爲弄髒了他的制服也叫海扁，我們都知道，他有多麼在意他的衣服。」

他們全都大笑出聲，我不太明白這個只屬於他們兩個的笑話，最感興趣的，還是她怎麼對付血族。

我壓抑了很長時間的好奇心最終沒能克制住，「妳開始學格鬥的時候，是在妳臉上有疤之前還是之後？」

「蘿絲！」莉莎生氣地叫住了我。

塔莎倒是沒有生氣，克里斯蒂安也沒有，一般在提起關於他父母的那件事時，他心裡都不會很舒服。

塔莎看著我，若有所思，這種表情有時候我會在迪米特里臉上看到，一般是我在什麼地方的表現好得出乎他意料的時候。

「在那之後。」她說道，說話的時候沒有低下頭，也沒有顯得很尷尬，可我還是聞到了一絲憂傷。「妳聽說了多少？」

我瞥了克里斯蒂安一眼。「很少。」

塔莎點點頭。「我知道……我知道盧卡斯和莫婭已經變成了血族，但仍然不能接受這個事實。思想上無法接受，身體上、情感上都無法接受，我想，如果讓我重新來過，我仍然無法接受。但是在那晚之後，我看著我自己，這只是個比喻，我意識到自己有多麼脆弱。

我活到這麼大，一直冀望守護者來保護我、照顧我，這並不代表守護者不可靠，正如我所說，妳可以輕易地將我擊倒，但是，盧卡斯和莫婭在我們反應過來之前，就殺死了兩名守護者。我盡量拖延，阻止他們帶走克里斯蒂安，但也很勉強，如果不是其他人及時趕來，我將成爲下一個死掉的人，而他也已經……」

塔莎掩住了口，皺了皺眉頭，才繼續說下去：「我這才下定決心，不想以這種方式死去，不想連反抗都不反抗就死去，我要在力所能及的範圍內保護自己和我愛的人，因此，我去學了自衛術。但是，那之後不久，我眞的……呃……不適應這裡的上流社會，於是我搬到了明尼阿波利斯，在那裡找了個教書的工作。」

我毫不懷疑，那裡也住著其他的莫里族，天知道這種確信來源於何處，但是，我能從她的眉目中看出些許端倪。

她搬到那裡，藏在人類中間，避開其他的吸血鬼，就像我和莉莎過去兩年一樣。我很想知道是不是還有其他的原因，讓她不得不搬走。她剛才說她學會了所有的自衛術，很明顯，這可不僅限於格鬥的範圍。

根據莫里族對於犯罪以及防禦的認知，他們並不認可魔法可以作爲武器這種想法。很久以前，魔法曾經有過這種用途，直到今天，有少數莫里族還在祕密地將魔法作爲自己的武器，克里斯蒂安就是這樣的人。我突然想明白了他是從哪裡習得這種理念的。

眾人陷入一片沉默。的確，聽完這樣悲傷的故事之後，很難開口說點什麼。

我想，塔莎屬於那種可以很好地控制自己情緒的人，這令我對她的好感更深了些。

剩下的時間裡，她又講了許多有趣的故事。她不像其他的皇族那樣高高在上，她有許多出身卑微的朋友，她講的人，有許多迪米特里都認識，老實講，怎麼能有一個人本身很孤僻，但卻認識莫里階層和守護者階層的每個人？他有時還會爲塔莎的故事添加一些細節，我們聽得十分入迷。

這時，塔莎抬手看了看手錶。

「附近最適合女生去逛逛的地方是哪？」她問。

我和莉莎對視了一眼，異口同聲地說：「米蘇拉。」

塔莎嘆了口氣。「那裡離這兒有兩個小時的路程，不過如果我現在就啓程，也許還來得及在商店關門之前趕到。我對耶誕節之後還能再去逛街，已經不抱任何希望了。」

我喊出聲：「我要是敢去逛街的話就死定了！」

「我也是！」莉莎說。

「也去我們可以偷偷地……」我充滿希望地看了迪米特里一眼。

「別想！」迪米特里立刻說道。

我哀怨地嘆了一口氣。

塔莎又打了個呵欠。「我要先去弄點咖啡喝喝，不然開車的時候一定會打瞌睡。」

「妳的守護者不能載妳去嗎？」

她搖了搖頭，「我沒有守護者。」

我皺起了眉頭，確認她的話：「妳一個守護者都沒有？」

「沒有。」

我喊了起來：「這不可能！妳是皇族，最少也有一個，而一般來說，都是兩個！」

分配給莫里族的守護者，是由守護者議會根據祕密的、一對一的方式指定分派下去的。考慮到守護者和莫里族的比例，這是一種毫無公平可言的制度。平民百姓想要擁有自己的守護者的機率就像是中彩票，但是皇室毫無例外地可以擁有自己的守護者，地位比較高的莫里族甚至不只有一名。沒有守護者的莫里族皇室是不存在的，哪怕是地位最低的莫里族皇室。

「分派守護者的時候，歐澤拉家族肯定不會是排位在第一等級的。」克里斯蒂安痛苦地說，「自從……我父母死後……就沒有守護者了。」

我怒火中燒。「這不公平！他們不能用父債子還的方式來懲罰你！」

「這不是懲罰，蘿絲。」塔莎絲毫沒有我本以為她會有的憤怒。「這只不過是……將優先權重新排列了一下。」

「他們令妳失去了保護，妳不能自己外出！」

「我沒有失去保護，蘿絲。我告訴過妳，如果我真的有想要守護者的想法，我會覺得十分困擾的，這可是很大的麻煩呢！我現在這樣挺好的。」

迪米特里看了她一眼。「妳想要我和妳一起去嗎？」

「佔用你一整晚的時間？」塔莎搖了搖頭，「我不希望你這麼做，迪米卡。」

「他不介意。」我飛快地接道，為這個提議興奮不已。

迪米特里似乎很高興我為他說話，沒有反駁我。「我確實不介意。」

塔莎猶豫了一下。「好吧！但是我們一會兒就要出發了。」

我們的地下聚會散場了，莫里族們朝著一個方向走去，我和迪米特里則向另外一個方向走去，他和塔莎約定好半個小時後見。

「妳覺得她怎麼樣？」我們單獨在一起的時候，他問我說。

「我喜歡她！她很酷！」我在腦海中描繪著塔莎的樣子，想了想才說道，「我想，我理解那些紋身的含義了。」

「哦？」

我點點頭，看著我們一路走來留下的腳印。雖然撒過了鹽，也鏟過，但是仍然留有殘餘的小冰碴。

「她不是爲了榮譽才這麼做，她是不得不這麼做，就像……就像我媽媽一樣。」我討厭承認這一點，但這是事實。珍妮·海瑟薇也許是最差勁的母親，但她是一個偉大的守護者！「那些東西一點都不重要，不管是閃電紋身還是疤痕。」

「妳學得很快！」他讚揚地說。

我有些飄飄然起來。「爲什麼她叫你迪米卡？」

他溫柔地笑了笑。今天我見他開懷大笑過好幾次，以爲他喜歡別人這麼叫他。

「那是迪米特里的暱稱。」

「這說不通！你的暱稱不應該是迪米特嗎？」

「在俄語中不是這樣。」他解釋道。

「俄語眞奇怪！」在俄語中，「瓦西莉莎」的暱稱是「瓦西婭」，我一點也不瞭解它的意思。

「英語也一樣。」

我一臉詭異地看著他。「如果你教我用俄語發誓，我也許會對俄語有新的評價。」

「妳已經發了很多誓了。」

「我只是想以此來表達自己的感受。」

「哦，蘿莎……」他嘆了一口氣。

我覺得頭皮一陣發麻，蘿莎是我的名字的俄語讀法，他很少這麼叫我。

「在我認識的人裡，妳是最喜歡表達自己的一個了！」

我笑了起來，繼續向前，沒有再說什麼。我的心跳變得有點快，在他身邊，我覺得很幸福了，我們兩個在一起的時候，總有一絲溫暖和「就是這樣」的感覺。

雖然我有點暈乎乎的，但還是想起了我一直都在思考的問題——

「你知道嗎？我覺得塔莎的疤痕很有意思。」

「怎麼說？」

「那個疤痕……毀了她的容貌。」我緩緩地說道。將腦中的想法如實地表述出來，是我的一大障礙。「我是說……很顯然，她原來是很漂亮的一個女生，但是，就算現在臉上有了這些傷疤……我不知道該怎麼講，她還是很漂亮，以另一種方式。就像……就像是那些疤痕已經成了她容貌的一部分，它們成全了她。」這種說法聽起來很傻，但是很貼切。

迪米特里什麼都沒有說，但是他用眼角餘光看了看我，我也用餘光看了看他，我們的目光相對，就在這短暫的對視中，我看見了那種古老的吸引力，它轉瞬即逝，但我看得清清楚楚，取而代之的，是驕傲和讚許，都是表揚我的意思。

當他開口時，話語印證了他剛剛的想法——

「妳學得很快！蘿莎。」

6

第二天，我照舊前往課前訓練。一路上，我覺得人生是那麼美好，昨晚的地下派對超級有意思，我也很自豪能肩負起和整個制度抗衡的責任，並且爲迪米特里陪伴塔莎盡了一己之力。

更妙的是，昨天我第一次用銀樁進行訓練，而且證明了我有能力使用它，現在我興致高昂，迫不及待想進行更多的訓練。

我穿上平日常穿的運動服，向體育館跑去。天色已經暗了下來，我推開體育館的門，探進頭去，卻發現裡面黑漆漆的，異常安靜。我打開燈，四下看了看，以防這是迪米特里準備的某種怪異的、反常的訓練。

但這不是！體育館空空蕩蕩的，今天沒有銀樁訓練了！

「該死！」我悄聲說道。

「他不在這裡！」背後突然傳來一個熟悉的聲音，我幾乎跳起來有十英尺高，轉過身，看向我媽媽那雙瞇起來的棕色眼睛。

「妳在這裡做什麼？」話一出口，我就從她的穿著明白了——棉質短袖襯衫、鬆垮垮的束帶運動褲，和我身上的差不多。

「該死！」我又說了一次。

「嘴巴乾淨點！」她立刻說道，「妳的行爲已經很無禮了，但至少妳說話的時候可以顯得有教養一些。」

「迪米特里到哪兒去了？」

「貝里科夫守護者現在正在睡覺。他兩個小時之前剛剛回來，非常需要休息。」

另一句粗話已經到了我的唇邊，我硬生生將它嚥了回去。

迪米特里當然正在睡覺，白天，他開車載著塔莎去米蘇拉，爲了趕上人類商店的營業時間，他肯定一宿沒有合眼。

唉……如果我知道會是這種結果，就不應該那麼急著要他幫塔莎的忙了。

「好吧！」我有些懊惱地說，「我想這表示訓練取消……」

「閉嘴！把這個戴上。」

她遞給我一副訓練手套，這副手套和拳擊手套極爲相似，但是更薄一些，而且沒有那麼笨重。但是，它的作用和拳擊手套是一樣的，爲了保護雙手，也避免用指甲抓傷對手。

「我們已經開始進行銀椿訓練了。」我悶悶不樂地說著，一邊將手套戴好。

「我知道，但是今天我們要進行這個訓練。快點！」

眞希望今天我從宿舍出來的時候，被公車撞倒。

我跟在她身後走到體育館的中心。她的捲髮用髮夾牢牢固定住，露出了脖子，脖子上全都是紋身，最上面的一個圖案是一條S型的曲線，代表了她的忠心。

守護者從聖弗拉米爾學院這樣的地方畢業以後，一旦同意接受工作，就要紋上這樣的圖案。這個圖案下面，就是守護者殺死血族的獎勵——閃電紋身。我媽媽脖子上的閃電紋身數量我無法估算，這麼說吧！我很希望她的脖子後面能找出一塊沒有紋身的地方。

她這一生，可以說是殺死了無數血族！

當她走到心目中的地點，便轉過身對著我，擺出了攻擊的姿勢。我暗暗期待她圍著我蹦來跳去的樣子，也有樣學樣地擺出了同樣的姿勢。

「訓練內容是什麼？」我問道。

「基礎攻擊和防衛閃躲，以這條紅線爲界。」

「就這些？」我問道。

她向我撲過來，我閃開，閃得非常勉強，還差點被自己的腳絆倒。這下我被激怒了，很快調整好自己的位置。

「看看！」她語氣已經和嘲諷沒什麼兩樣了，「妳不是很急於提醒我，已經有五年沒有見過妳了嗎？我不知道妳現在到什麼樣的水準了。」

她又攻了過來，再一次，我勉勉強強地躲了過去，爲了躲她，我差一點越過了界。她沒有給我喘息的時間，繼續進攻。或許我根本不懂怎麼叫進攻，我所有的時間都在防守，至少表現出來的是這樣。雖然不願意，我不得不承認她確實很強，不過我肯定是不會親口對她說的。

「就這樣？」我問道，「這就是妳令別人露出破綻的方式？」

「這是我讓妳學會保住項上人頭的方式。我來了這麼久，除了看見妳耍性子，還沒見過妳有什麼眞本事。妳不是想找人打一架嗎？」她揮出一拳，擊中了我的胳膊。「好，我們兩個打。擊！」

我閃了過去，退回到自己這邊。「我不想打架，只是想試著和妳聊聊。」

「在課堂上對我咄咄逼人，我可不認爲這叫聊天。擊！」

拳頭擊中我，我不禁哼了一聲。

我和迪米特里開始訓練的第一天，曾經抱怨過和比我高出一英尺的人對打，對我很不公平。他對我說，我今後的對手是比我高出許多的血族，有能力的話，身高並不重要。有時，我以爲這只是他用來給我打氣的話，但是看到我媽媽今天的表現，我開始相信他說的是眞的了。

事實上，我還沒有和比我矮的人打過架，作爲實習生中爲數不多的女生之一，我承認自己總會比我的對手要小一號。我媽媽也比我小一號，可她嬌小的身軀全是結實的肌肉！

「我跟別人的溝通方式比較特別，僅此而已。」我說道。

「妳總是覺得過去的十七年裡受了委屈，可這只不過是妳小心眼的錯覺。」她的腳踢到了我的大腿。「中！事實上，妳和其他拜爾族的孩子一樣，都接受教育，並且是更好的教育。我本來可以將妳送去和我的堂姊一起住的，妳想成爲一個吸血妓女嗎？那就是妳想要的？」

「吸血妓女」這個詞總讓我覺得害怕，它一般指的是拜爾族的單身媽媽，她們決定自己撫養孩子長大，不想再成爲守護者。這些人一般和莫里族的男性有過短暫的戀情，因此被人輕視。莫里族的男性通常會找莫里族的女性結婚，她們對此是無能爲力的。

「吸血妓女」名稱的由來，是因爲她們允許莫里族在跟她們做愛的時候吸血。在我們的世界裡，只有人類的血液才能吸食，拜爾族這麼做是骯髒且禁忌的，特別是在做愛的時候。我認爲，這樣的人只有很少幾個，但是不公之處在於，世人將它延伸到了所有人身上。在逃亡期間，我曾經給莉莎餵食過血液，那不過是應急之需，可我仍然被這個陰影籠罩著。

「不，我當然不想成爲吸血妓女。」我的呼吸變得沉重，「而那麼做也不能代表她們就是，只有少數幾個人是眞正的吸血妓女。」

「她們是自取其辱！」媽媽怒吼道，我躲開了她的攻擊。「她們的職責應該是成爲守護者，而不是傻乎乎地跑去和莫里談一段有始無終的感情。」

「她們起碼會親自撫養自己的孩子……」我嘟囔著說。我本來是想大聲喊的，但是沒有氧氣可以浪費了。「有些事是妳永遠無法理解的！另外，妳的作法和她們有什麼區別嗎？我也沒看見妳手上戴著戒指。我爸爸和妳難道不是一時興起？」

她的臉色變得很難看，這代表她被她的女兒說中了心事。

「這件事……」她乾巴巴地說，「是妳永遠不知道的。擊！」

我挨了一記，但是很高興我的話觸痛了她的神經。

我不知道自己的爸爸是誰，唯一知道的是，他是個土耳其人。我繼承了媽媽的美貌和凹凸有致的身材，當然，我因爲身材比她好而有些沾沾自喜，但是，我其他的地方都和我爸爸一模一樣——非常容易曬黑的皮膚、黑色的頭髮和黑色的眼睛。

「那麼一開始是怎麼回事？」我問道。「妳被派到了土耳其？在當地的集市遇到了他？還是其他更加低賤的地方？妳是不是嚴格按照達爾文的理論，挑選最勇猛的戰士的基因來遺傳給妳的後代？我是說，我知道妳生下我是因爲這是妳的責任，所以妳想要力所能及地在守護者的隊伍中，擴充一名最優秀的試驗品。」

「蘿絲瑪麗！」她咬著牙根警告我，「妳能不能閉上嘴？這輩子就閉這麼一次！」

「爲什麼？我把妳的光輝形象抹黑了嗎？不是妳告訴我的嗎？妳和其他的拜爾女人都不一樣，妳玩弄了他，然後……」

有句話叫作「驕傲就會摔跟頭」，我只顧著翹起我的尾巴，卻忘了看腳下。我離那條紅線非常近，將我逼到界外是她的下一步，我既要努力保持不動，又要躲開她的進攻，不幸的是，二者只能取其一。

她的拳頭近在眼前，結結實實地打在我身上，更重要的是，她打中的位置比訓練時允許的位置要高出一點點。拳頭打在我的臉上，力道重得像是撞上了一台小卡車，我向後飛去，重重地跌落在地板上，先是背後著地，緊接著才是頭部。

我出界了。該死！

疼痛沿著背脊一直爬到頭頂，我的眼前一片模糊，有無數小星星在閃動。我媽媽以迅雷不及掩耳之勢低頭看向我。

「蘿絲！蘿絲，妳還好嗎？」她的聲音嘶啞，有些瘋狂。

整個世界彷彿都在旋轉，我暈了一會兒之後，有別的人走了進來，我好像被人抬到了學院的急診室。

在那裡，有人用燈光照著我的眼睛，問我一些愚蠢的難以置信的問題——

「妳叫什麼名字？」

「什麼？」我反問道，眼睛在燈光的照射下瞇了起來。

「妳的名字。」我認出是奧蘭奇醫生正在看著我。

「妳知道我的名字。」

「我希望妳親口告訴我。」

「蘿絲，蘿絲．海瑟薇。」

「妳的生日還記得嗎？」

「當然記得。為什麼妳淨問我這麼愚蠢的問題？妳把我的檔案弄丟了嗎？」

奧蘭奇醫生惱怒地嘆了一口氣，起身走開，順便帶走了那個可笑的手電筒。

「我覺得她沒問題。」我聽見她對某人說。「不過，我想今天留她觀察一天，確保她沒有腦震盪。我強烈建議她最好不要去上課。」

這一整天，我時醒時睡，因為奧蘭奇醫生不斷地將我叫醒，做些測試。她還給我了一個冰袋，讓我用它摀著臉。下課的時候，她認為我的狀態已經可以離開了。

「蘿絲，我應該頒發一張老病友卡給妳。」她的臉上露出一絲微笑。「除了那些過敏、哮喘或者有慢性病的學生以外，我從來沒見過有人像妳這樣頻繁在這裡出入的。」

「謝了！」我說，不太確定我是不是真的不想要這項榮譽。「這麼說，沒有腦震盪囉？」

妳搖了搖頭。「沒有。不過，妳的頭可能會覺得有點痛。在妳離開之前，我會給妳開點止痛藥。」她收起了笑容，突然變得很嚴肅。「老實說，蘿絲，我認為傷得最嚴重的地方，呃……是妳的臉。」

「妳這麼說是什麼意思？」我從床上跳了起來。

她指了指屋子另一邊洗手台上面的鏡子，我跑過去，仔細檢查我的臉。

「狗娘養的！」我的左臉上方是大大一片紫紅色的瘀痕，特別是眼睛周圍瘀得尤其厲害。

我絕望地轉過身，看著她。

「這個很快會消退的，對吧？如果我一直冰敷的話。」

她又搖了搖頭。「冰敷是有幫助啦！不過恐怕之後妳要頂著黑眼圈出門了。明天應該是最嚴重的時候，但大概一個星期左右就能完全消退，很快的，妳的生活就能恢復正常。」

我茫茫然地走出急診室，不知道拿我的臉上的傷痕怎麼辦。一個星期左右就能完全消退？奧蘭奇醫生怎麼能這麼輕鬆地說出這種話？難道她不知道會發生什麼事嗎？整個耶誕節我都會像個怪物，甚至可能整個滑雪旅行假期，我都會頂著個黑眼圈！難看至極的黑眼圈！

這都要拜我媽媽所賜！

7

我怒氣沖沖地推開了莫里族宿舍門口的對開大門，雪花旋轉著在我身後飛舞。大廳裡有幾個人看見我走進來，停住了腳步，打量著我。不出所料，他們起初並沒有在意，但是後來卻一副恍然大悟的樣子。

我吞了口口水，強迫自己不要有什麼反應。沒什麼大不了的，不用大驚小怪，實習生受傷是很平常的事，如果從沒受過傷才不正常咧！雖然我不得不承認，這回傷得比以往都要嚴重，但它總有一天會痊癒的，不是嗎？而且，他們又不會知道我是怎麼受傷的。

「嘿！蘿絲，聽說妳媽媽揍了妳，這是真的嗎？」

我愣住了。我早該想到，到哪都少不了這個刻薄的女高音！

我慢慢地轉過身，直直地看著米婭．瑞納蒂深藍色的眼眸。她的面容配著捲髮，如果不是帶著惡毒的假笑，應該還挺可愛的。

米婭比我們小一年，她與莉莎（很可能還有我）曾經進行過一場戰爭，看誰能在最快的時間裡毀掉對方的生活。我必須要說的是，這場戰爭是她先挑起的，起因是她搶走了莉莎的前男友，事實上，是莉莎發現自己不喜歡他而把他甩了的。

必須要承認的是，米婭的仇恨不是完全沒有道理的。莉莎的哥哥安德烈，在米婭還是個新人的時候玩弄了她，他已經喪生在一場車禍中（事實上，從技術層面來講，我也應該在那場車禍中「喪生」了）。如果她現在不是這麼惡毒，我還會為此對她感到內疚，但我不知道她將怒火發在莉莎身上這種舉動是否公平。

我和莉莎最後還是贏了，不過米婭出人意料的沒有進行反擊，她沒有再回到她曾經混跡的那個菁英階層的圈子裡，而是自己組了一個小團體。無論她品行如何，強壯的領導者總會吸引一群人願意跟隨的。

在百分之九十的場合下，無視她的挑釁是最佳的反應，但是，剛剛她的舉動已經屬於那百分之十的範疇，要無視別人當眾說妳被自己的親生母親揍了一頓，這是根本不可能的，哪怕她說的是事實。

我停下腳步，轉過身去，米婭正站在一台自動販賣機的旁邊。我沒有多費力氣去問她是怎麼知道我的黑眼圈的來歷，在這裡，沒有什麼是祕密。

當她完全看清楚我的臉，立刻眼睛睜大，幸災樂禍地道：「哇哦！談談妳這張只有媽媽才喜歡的臉怎麼樣？」

哈！真好笑！如果這是從別人嘴裡說出來的，我可能會為這個精采的笑話而鼓掌。

「這麼說，妳是研究臉部傷痕的專家囉？」我說道，「妳的鼻子怎麼樣了？」

米婭的冷笑稍微收斂了一下，可她並沒有作出回擊。

一個月以前，我曾經把她的鼻子揍扁過，那是在學院舉辦的舞會上。她的鼻子雖然已經痊癒了，但是現在稍微有一點歪，也許整形手術可以讓它變回來，不過就我對於她家經濟情況的瞭解，現在似乎不太可能。

「好多了！」她硬邦邦地回答。「我很走運，它只不過是被一個女瘋子打壞了，和我沒有任何關係。」

我盡自己最大努力對她露出了一個最像女瘋子的笑容。「眞是太糟了！有時家裡人不小心是會揍人的，那個女瘋子下回有可能打得更厲害。」

對她進行暴力威脅不失爲一個上策，可現在我們身邊圍了一群對她十分關注的閒人，米婭對此也了然於胸。我不是不敢在這種情況下揍人，該死！我已經這麼做過無數回了，但是，我最近正學著克制自己的衝動。

「看起來最近發生在我身上的意外還眞多！」她這麼說，「你們實習生在攻擊臉部的時候，沒有規矩可言嗎？我的意思是，妳臉上的傷遠遠超過了訓練的範圍！」

我張口想叫她閉嘴，但什麼也說不出來。她說對了！我的傷遠遠超出了訓練的範圍，在進行對抗訓練的時候，是不能攻擊脖子以上的部分的，這是最基本的底線。

米婭看出了我的猶豫，這對她來講好像是耶誕節提前到了。在此之前，我從沒想過我們兩個彼此懷有敵意的人對抗時，會有她令我啞口無言的時候。

「小姐們，」這時，一個女聲響起，是宿舍管理員。她站在桌子前面，身子倚在桌子上，用銳利的目光將我們分開。「這裡是大廳，不是酒吧，要嘛上樓，要嘛出去！」

這之前有一刻，我覺得將米婭的鼻子再揍歪一回是個很不錯的主意，可眞要這麼做的話，就會被關禁閉，於是我不得不撇開這個念頭。

我做了個深呼吸，認爲現在最明智的選擇就是及早抽身。我一瘸一拐地朝樓梯走去。

我回頭的時候，米婭對我說：「別擔心，蘿絲，一切都會好起來的。而且，男生們喜歡的並不是妳的臉。」

半分鐘之後，我用力拍打莉莎的房門，只盼我的拳頭不會打穿木門。莉莎慢吞吞地開了門，四處察看。

「只有妳一個人嗎？我還以爲來了一個軍隊……哦！老天！」她的眉毛揚了起來，發現了我左臉的情況。「發生了什麼事？」

「妳沒聽說嗎？全學院妳可能是唯一一個不知道的人了！」我抱怨道，「先讓我進去。」

我呈大字型躺在她的床上，跟她講了今天發生的事情，莉莎非常震驚。

「我聽說妳受傷了，但是我以爲只不過是平常的小傷。」她這麼說道。

我看著閃閃發光的天花板，覺得糟透了！

「最倒楣的是，米婭說對了——這不是個意外！」

「什麼？妳是說，妳媽媽是故意的？」見我沒有回答，她的語調變得有些疑惑。「這沒道理啊！」

「爲什麼？就因爲她是完美的珍妮·海瑟薇，控制脾氣的大師？事實上，她不光是完美的珍妮·海瑟薇，她還是格鬥和控制動作的大師，不管是不是故意的，她打都打了！」

「好吧！」莉莎說，「我也覺得她失手的可能性要比故意打妳的可能性低。她眞的發火了！」

「嗯，她當時談話的對象是我，這足以令她情緒失控。我指責她和我爸爸在一起，是爲按照進化論挑選最好的基因。」

「蘿絲！」莉莎吼起來。「妳剛剛講述事情經過的時候，似乎遺漏了這點。妳爲什麼要這麼說她？」

「因爲這很可能是事實。」

「可妳知道這一定會惹火她的！爲什麼妳要不斷地對她進行挑釁？爲什麼就不能跟她和平相處呢？」

我坐了起來。「和平相處？她送了我一個黑眼圈，而且很可能是故意的，我怎麼可能和這種人和平相處？」

莉莎聽了，只是搖了搖頭，走到鏡子前檢查起自己的妝容。我們的心電感應傳來一種沮喪和惱怒，再深入下去，還有一絲期待。我有耐心細細察探，但是現在，我不得不停止我的探險。

她穿了一件淡紫色的絲質襯衫，還有一條及膝的黑色短裙，長長的頭髮柔順至極，好像是花了整整一個小時用吹風機吹出來的。

「妳要出去嗎？」

她的情感微微有些波動，對我的擔心稍微減少了一些。

「一會兒我要去見克里斯蒂安。」

有幾分鐘的時間，我覺得我們就像回到了以前的時光，只有我們倆，一起玩、一起談心，而既然她提到了克里斯蒂安，就說明不久之後她就會爲了他而撇下我。

我的胸口湧上一陣黑暗的情緒，很快意識到這種情緒的名字叫作「嫉妒」。

我本能地沒有讓嫉妒繼續氾濫。「哇哦！他做了什麼值得嘉獎的事？從著火的大樓裡救出了殘疾人？如果是這樣，妳應該先確認一下是不是他放的火。」克里斯蒂安掌握的元素是火，和他這個破壞大王倒是十分吻合。

莉莎笑著轉過身，看著我，輕輕地摸著我被揍的地方，笑容變成了關心。「看起來也不是那麼糟啦！」

「我敢打賭，妳是在騙我。」我重新躺回了床上。「奧蘭奇醫生說最壞的情形要到明天才出現，世界上肯定沒有一款遮瑕霜能夠遮住它，對吧？我和塔莎應該戴上《歌劇魅影》裡的那種面具。」

莉莎嘆了口氣，坐在我旁邊。「我沒法治好它，眞是太糟了！」

我笑了一下。「這是好事。」

催眠術和精神能力帶來的魅力是很不錯，可是說眞的，治癒才是她最酷的能力，她能治癒的範圍大得驚人！

莉莎還在想她的精神能力的事。「我眞希望能有別的方法控制這種能量，讓我還能使用這種能力的方法……」

「是呀！」我附和道。「我也這麼希望。」

我明白她有想要幫助別人這偉大的願望，這種想法不停困擾著她。該死！我應該立刻幫她清除這種困擾的，而不是像現在這樣拖拖拉拉。

她長嘆一口氣。「有件事比我希望能使用這種精神能力治癒和幫助別人更嚴重，我……呃……還沒有辦法使用魔法，它還在那裡，只是被藥物封住了。這種能力在我體內燃燒，它需要我，我也需要它，可是，我們中間有一堵牆，妳可能根本無法想像這種事……」

「我能，眞的。」

我說的是事實，我可以感應到她大部分的情緒，有時候也能感應到「更深處」。這要解釋清楚很困難，每次都能感應成功更是難上加難。

一般來說，我可以透過盯著她的眼睛，來感受她內心的想法，在那一刻，我就是她。有許多次，當她使用魔法的時候，我就在她的意識裡，因此非常瞭解她口中所指的那種渴望。她常常在午夜時分醒來，懷念她還無法企及的那種能力。

「哦，對。」她可憐兮兮地說。「我忘了那些時候。」

她的心中升起一絲痛苦，這並不是直接針對我而來，因爲她本不是那種爭強好勝的人。憤怒在她心中流竄，她沒有我想的那樣無助，那種憤怒和沮喪令她變得有些黑暗和醜陋，我不喜歡這樣。

「嘿！」我碰了碰她的胳膊。「妳還好吧？」

她只是閉上眼睛，過了一會兒又睜開，「我只是很討厭這種感覺。」

她情緒的波動令我記起了我們之前的對話，我去巴蒂卡家之前的那次。「妳還是覺得藥物的作用在減弱嗎？」

「不太清楚，有一點吧！」

「情況有變差嗎？」

她搖了搖頭。「沒有，我還是用不了魔法。我覺得我離它很近，但就是沒有辦法碰到！」

「那妳還……妳的情緒……」

「嗯……有些波動，不過，不用擔心，」她看著我說，「還沒到讓我想自殘的地步。」

「太好了！」聽見這個，我高興了些，但還是有些擔心。

她現在的情況雖然還在掌控之中，可我也不願意看著她精神不振。沒辦法，我只希望事態能維持現在這個樣子。

「我就在這裡，」我看著她的眼睛，溫柔地對她說，「如果有奇怪的事情發生，妳要告訴我，好嗎？」

聽見我這麼說，莉莎心裡那股黑暗的想法消失了，與此同時，心電感應傳來了一種奇怪的波動，我說不清到底是怎麼一回事，可我爲那股力量打了一個冷顫。莉莎沒有發覺，她的心情重新好起來，面帶微笑地看著我。

「謝謝。」她說。「我會的。」

我也笑了。看見她這樣，我覺得很高興。

我們陷入一陣沉默，在這種寧靜的時刻，我很想將我的心裡的話都說給她聽。最近我心裡積壓了太多的事情，我媽媽、迪米特里，還有巴蒂卡家的事，我一直壓抑著自己，它們幾乎要將我扯裂！和莉莎在一起的這一刻，是我這麼長時間以來，第一次覺得輕鬆自在的時候，我終於決定調換一下我們兩個的角色，讓她也聽聽我的心事。

我剛要開口，突然感覺到她的情緒起了變化，變得緊張和迫切。她有什麼事想要告訴我，這件事她想了好久。我心裡有太多的話想說，但是如果她有事要說，我是不會用我自己的問題去煩她的，所以，我將要出口的話嚥了回去，等著她開口。

「我在調查卡馬克夫人的時候有了新發現，有些奇怪的事……」

「哦？」我的好奇心立刻被吊了起來。

莫里族一般會在青春期的時候發現自己最擅長的元素是哪一種，然後，他們便會選教授相應元素的課來上，可目前並沒有開設精神元素的課，莉莎想學都不可能。很多人都以爲她還沒有特別擅長的元素，可是她和卡馬克夫人——聖弗拉米爾學院的魔法課老師，都各自發現自己具有使用精神元素的能力。她們翻閱了以前和現在的所有資料，尋找其他精神能力使用者的蛛絲馬跡，現在，她們已經總結了一些共通的特點，比如說普通的元素中沒有特別擅長的、心靈脆弱等等。

「我還沒有找到被確定是精神元素使用者的人，但是我找到了……一份報告，嗯，裡面記錄了一些無法解釋的事件。」

我驚訝地眨眨眼。「都是些什麼樣的事件？」我問道，反覆想著究竟什麼樣的事對吸血鬼來說屬於「無法解釋的事」。我和莉莎在人類世界生活的時候，我們才屬於「無法解釋的事情」！

「這些記錄都是零星分散的，比如說，有個人可以讓其他人看見根本不存在的事物，他能令別人相信，他們眼前有怪物什麼的。」

「這應該屬於催眠術的一種。」

「非常高級的催眠術！我們都知道不會有人的精神能力比我還強，但是，連我都做不到這一點……」

「也就是說，」我替她說完，「妳認爲這個能令人產生幻覺的人，也是一個精神能力的使用者？」

莉莎點點頭。

「爲什麼不去找他親自確認一下呢？」

「因爲記錄上沒有聯繫方式，這屬於機密。還有另外幾件很奇怪的事，比如說有人僅憑身體接觸就能吸乾別人，站在他旁邊的人會慢慢虛弱，最後失去所有的力量，昏倒在地。還有人能夠將別人丟過來的東西懸在空中……」激動令她容光煥發。

「他有可能是氣的使用者。」我提醒她說。

「也許。」莉莎說。我能夠感覺到好奇和激動在她體內迴盪，她是那麼想要相信世界上還有跟她一樣的人。

我笑了。「誰知道呢？莫里是像外星人一樣的物種，眞希望我沒有左藏右躲，就爲觀察他們是不是發現了我們之間的心電感應。」

她的好奇變成了揶揄。「眞希望有一天我能夠進入妳的意識裡，我很好奇妳對梅森的感覺。」

「他是我的朋友。」我堅定地說，驚訝於話題陡然一轉。「僅此而已。」

莉莎不太贊同。「妳為了將小夥子們攏在手心裡，可是會和他們調情，或者是做其他的事的！」

「嘿！」我反駁說，「我還沒有壞到那個地步。」

「好吧……也許沒有，但有時候妳對他們真的不怎麼用心。」

我確實對男生不感興趣——好吧！除了某一個。

「梅森確實很優秀。」她繼續說下去。「而且對妳非常癡情。」

「確實如此。」我同意這點。

我想了想梅森，想了想在斯坦的教室外，我認為他十分吸引人的那一刻。除此以外，他還很風趣，我們相處的時候非常開心，他離一個男朋友的標準並不遠。

「你們兩個有點像，你們都在做不應該做的事。」

我笑了起來。這也是事實！

我想起了梅森曾經信誓旦旦地說要殺死世界上所有的血族，我可能還沒有做好準備，除了我在車上爆發的那一刻，但是，我和他有同樣的衝動。

是時候跟他攤牌了！我想。和他鬥嘴很有趣，離我上次與別人接吻也有很長一段時間了。迪米特里令我心碎……但是，好吧！這和原來的那些事不能同日而語。

莉莎審視著我，似乎看透了我的心事。呃……除了迪米特里的那部分。

「我聽梅爾黛絲說，妳是傻透了才不選擇和他在一起，她說這是因爲妳覺得梅森配不上妳。」

「什麼？一派胡言！」

「嘿！這話又不是我說的。不管怎麼說，她已經放話說她會接收梅森。」

「梅森和梅爾黛絲？」我不屑地說，「他們倆在一起才眞是個災難！他們根本就沒有共同之處。」

這話聽起來有點小心眼，可我已經習慣了梅森的寵愛，突然之間聽說有人要把他搶走，這令我十分不爽。

「妳吃醋了！」莉莎再次猜中了我的心事。我突然可以瞭解，爲什麼我用心電感應得知她的心事時，她會那麼生氣。

「一點點。」

莉莎大笑起來。「蘿絲，就算那個人不是梅森，妳也確實應該好好考慮考慮和別人約會了。有很多人爭先恐後想要和妳出去，都是些不錯的小夥子。」

當事情涉及男生時，我的選擇不見得總是最好的。再一次，我有強烈的衝動想把自己的心事告訴她。

一直以來，我都在猶豫要不要把迪米特里的事情告訴她，這件事已經藏在我心裡，折磨我很久了。我們兩個現在坐在一起，她是我最好的朋友，我可以對她傾訴任何事情，她不會以此來評論我。不過，和剛才一樣，我錯過了告訴她心裡話的機會！

她看了一眼手錶，突然跳了起來。

「遲到了！我要去見克里斯蒂安了！」

她滿心歡喜，又略帶些期待的緊張。對於愛情，你能怎麼辦？我將心中浮出的醜陋妒忌嚥了回去。

再一次，克里斯蒂安把她從我身邊奪走了！今晚我根本不應該打算要吐露自己的心聲的。

我和莉莎一起走出宿舍，她立刻衝出去，答應我明天我們再談。

我向自己的宿舍走去，回到房間，經過鏡子瞥見自己的臉時大叫了一聲。在眼睛的周圍，有深深的一圈紫色！

和莉莎聊了那麼久，我幾乎忘了我媽媽對我幹的好事！我停下來，向前湊得更近一些，盯著自己的臉仔細看。也許我太過自負，但我認爲自己看起來還是蠻漂亮的。我的胸部有C罩杯，這種身材在全學院都是骨感超模一樣的女生中，是很稀有的。之前我說過，我的樣貌也很漂亮，大多數時候，我的狀態都可以打九分，滿分是十分。至於今天……沒錯，我的分數應該是負數，可在滑雪旅行開始的時候，我會好起來的。

「是我的親媽揍了我！」我對鏡子裡的自己說，她看起來似乎對我很同情。

我嘆了口氣，認爲現在最好爬上床去睡覺。今晚我什麼都不想做，也許多睡一會兒有助於傷處的恢復。

我下到大廳，去洗手間洗了把臉、梳了梳頭。回到房間後，我換上最喜歡的睡衣，柔軟的法蘭絨讓我多少變得開心了一點。

我收拾好明天要用的課本，裝進書包，心電感應在此時突然跳了出來。我瞬間失去了意識，連掙扎一下都沒有，就像是被颶風席捲而過，突然間，我不再想盯著書包。

我在莉莎的身體裡，體驗著她現在正發生的一切。事情就是從此刻開始變得尷尬，因爲莉莎正和克里斯蒂安在一起。

他們兩個……打得火熱！

8

克里斯蒂安正在吻她，哇哦！這個吻可厲害了！他不是亂吻一通，這種吻可是兒童不宜的……該死！簡直連成年人都不宜了，更遑論是透過心電感應在旁觀看呢！

我以前就發現了，莉莎的情緒一有強烈波動，我的意識就會被拉進她的意識裡。但是，一般來說，通常是因爲負面的情緒，比如傷心啦、生氣啦、絕望啦，這些都會一起傳遞給我。

但是這次，她並沒有傷心。相反的，她很高興，非常非常高興。

哦……老天！我需要離開這兒！

他們兩個在學院教堂的閣樓上，我喜歡將那裡稱爲他們兩個的愛巢。他們經常在那裡約會，從他們與世隔絕、想要逃避人群的時候開始。慢慢地，他們決定一起遠離人群，這必然會導致另外一件事的發生。不過，自從他們兩個公開戀情以後，我就不知道他們是不是還經常在那裡約會了，也許他們去那裡是爲了重溫舊日的甜蜜。

那個髒兮兮的地方，周圍放滿了點燃的小蠟燭，蠟燭散發出的丁香味瀰漫在空氣中，讓我有些緊張。不過克里斯蒂安似乎覺得他有控制突發事件的能力。

他們終於結束了這個漫長的吻，克里斯蒂安看著莉莎，誠摯而溫柔，碧藍色的眼眸閃動著抑制不住的深情。這跟梅森看我的方式不同，他的眼中當然有仰慕，但更像是那種你走進教堂、虔誠地跪下祈禱，對自己崇拜的上帝充滿了敬畏。克里斯蒂安明顯是以自己的方式愛慕著莉莎，但他的眼中有理解，一種心有靈犀的感覺，連語言的交流都是可以被省去的。

「你覺得我們會因爲這件事而下地獄嗎？」莉莎問道。

他伸出手撫了撫莉莎的臉，手指沿著她的臉頰滑到頸部，最後撫住了她絲綢襯衫上高聳的部位。莉莎的呼吸爲之變得沉重，他的動作輕柔、細小，但是仍然引發了莉莎如火的熱情。

「因爲這個？」他撫弄著襯衫的下襬，手指探了進去。

「不是。」莉莎笑了起來，「因爲這個。」她指了指身處的閣樓。「這裡可是教堂，我們不應該在這裡做……嗯……這種事。」

「胡說！」克里斯蒂安爭辯道，他攬住莉莎的背，讓她靠在自己身上。「教堂在樓下，這兒只不過是個倉庫，上帝不會介意的。」

「你又不信奉上帝。」莉莎戳穿他，手自然撫上他的胸口。她的動作像是火苗，點燃了克里斯蒂安，同時也開啓了克里斯蒂安欲望的開關。

他愉悅地輕嘆出聲，因爲莉莎的手伸進他的衣服下面，滑到了腹部。「我是開玩笑的……」

「你現在最好什麼都不要說！」莉莎嗔怪道。

她抓住克里斯蒂安衣服的下襬，將它撩了起來。克里斯蒂安扭動了一下，莉莎輕鬆地將他的衣服脫去，繼續靠在他身上——赤裸的胸膛上。

「妳說得對！」他贊同地說著，小心翼翼地解開她裙子上的釦子，只解開了一個，接著，他將身子俯過去，用力地、深深地吻住她。當他抽出身來時，繼續像個沒事人一樣與莉莎聊天。「告訴我妳想聽什麼，我都會遵命的。」說完，他又解開了一顆鈕釦。

莉莎笑了起來，另一顆鈕釦被解開了。「你想說什麼都行，只要是眞的就好。」

「眞話嗎？沒人願意聽眞話，眞話絕對與性無關，但是妳……」最後一顆鈕釦被解開了，他褪去了莉莎的裙子。「妳現在眞是太誘人了！」

他還是用一貫的口吻說出這些話，但是眼中傳遞的資訊卻完全不一樣，我透過莉莎的眼睛可以看到這一點，然後想像他的眼中是什麼——莉莎光滑白皙的皮膚、纖細的腰肢和小巧的臀部、白色的蕾絲內衣。透過莉莎，我能感到蕾絲內衣有些刺人，但是她毫不介意。

慾望在他身上點燃，飢渴地四處蔓延。在莉莎的意識裡，我能感到她的心跳加快、呼吸急促。和克里斯蒂安相同的願望淹沒了理智，他們兩個躺了下來，克里斯蒂安附在莉莎身上，緊緊地壓著她的身體，他的唇再次尋了過來，當他們的唇舌交織在一起，我意識到我必須離開這裡！

事情再明顯不過了，我明白爲什麼莉莎如此盛裝打扮，也明白爲什麼這個愛巢裝點得像美國佬的蠟燭陳列室。

就是那回事！就在此刻，經過一個月的交往，他們兩個要上本壘了！

我知道，莉莎曾經和她的前男友這麼做過。我不瞭解克里斯蒂安的過去，可也懷疑有女孩能逃得過他粗獷的魅力。

莉莎的感受告訴我，這些全都不重要，最起碼在此刻是這樣，此時重要的，只是兩個人對彼此之間的感覺。和同齡人那種瞻前顧後的擔憂不同，莉莎很明白地知道自己到底在做什麼，和他在一起這些時間，她一直都想這麼做。

我沒有權利窺探這一切，是誰在和我開玩笑？我根本就不想窺探這個。看別人做這事很無聊，而且我十分確定自己一點也不想知道和克里斯蒂安做愛是什麼感覺，那和我在精神上喪失了我的童貞沒什麼區別。

可是，上帝，莉莎沒那麼容易放過我，她並不想抑制自己的感受和心情，而它們越強，我就被抓得越緊。我試著和她拉開距離，將意志全部集中到我自己身上，盡可能地集中精神。

衣服一件一件被脫掉了……

「快！快！」我焦急地對自己說。

保險套也掏出來了……

「妳是屬於妳自己的，蘿絲。快回到妳自己的身體裡！」

他們的肢體纏繞在一起、他們的身體疊在一起……

終於——

我掙脫了出來，回到自己的身體裡、回到了自己的房間，可是再也沒用興趣去收拾書包了。我的整個世界都傾斜了，我總覺得怪怪的，好像自己被侵犯了一樣，分不清我現在到底是蘿絲還是莉莎，同時，我對克里斯蒂安的怨恨之情又重新浮現。我肯定不會對莉莎發生性趣，可卻如同失去戀人般痛苦不已，我不再是莉莎整個世界的中心了！

書包大開著放在一旁，我逕自爬上床，緊緊抱著自己，蜷成了一個球，試著撫平被深深刺痛的胸口。

最後，我沉沉地睡過去，然後早早醒來。

通常，我會強迫自己掀開被窩，去找迪米特里，但是今天，我特地趕在他之前到了體育館，在等得無聊的時候，我看見梅森從教學樓那邊跑了過來。

「哇哦！」我叫道，「你什麼時候起得這麼早了？」

「從我要上數學課開始。」他說著，向我走了過來，露出惡作劇般的笑容。「不過能夠和妳約會的話，翹課也是值得的！」

我聽了大笑，想起了和莉莎的對話。

「算了，你會惹上麻煩的，如果那樣的話，我在滑雪的時候就沒有對手了！」

他翻了個白眼。「我才是打遍天下無敵手的人，想起來了嗎？」

「你準備拿什麼來賭一下？還是說，你已經退縮了？」

「走著瞧！」他警告我說，「我可能會收回妳的耶誕節禮物。」

「你給我準備了禮物？」這我可沒想到！

「對。但是如果妳一直跟我頂嘴，我可能會把它送給別人。」

「比如說梅爾黛絲？」我揶揄他道。

「她可不是妳的對手，妳知道的。」

「哪怕我有一個黑眼圈？」我扮了個鬼臉。

「哪怕妳兩隻眼睛都有黑眼圈。」

他的表情並不像是在開玩笑，也不是真心這麼建議，他的臉上只有溫情。溫情、友善和感興趣，好似他真的很關心我。經過最近這麼多事，我想，我十分享受被關愛的感覺，而且，在嘗到了被莉莎忽視的滋味之後，我也很喜歡有人時刻惦記著我。

「你耶誕節有什麼安排？」我問。

他聳聳肩。「沒事。我媽媽本來打算要來，但是在最後一分鐘取消了這個計畫……妳知道，畢竟發生了那麼可怕的事情。」

梅森的媽媽不是個守護者，她選擇在家裡照顧孩子，後來我還得知，他很少見到自己的媽媽。這真是諷刺！我媽媽雖然人在這裡，可出於各種意圖和目的，她也可能接著去別的地方。

「和我們一起吧！」我心血來潮地說，「和莉莎、克里斯蒂安以及他的姑姑一起，會很有意思的！」

「眞的？」

「非常有趣！」

「我問的不是這個。」

我笑了。「我知道。到時候來吧！好不好？」

他看了我一眼，揚起了眉。「當然。」

梅森的背影剛剛消失，迪米特里就趕到了訓練場地。和梅森的閒聊讓我覺得飄飄然，非常開心，完全忘記自己臉上還有傷，但是跟迪米特里在一起，我突然又在意了起來。

我總是想在他面前表現得十全十美，我們一起走進體育館，我刻意挑了一個位置，避免讓他看見我的正臉，這種擔心令我的情緒有些低落。

我們來到放滿假人的訓練室，他讓我重複兩天以前的訓練。我很慶幸他沒有繼續讓我進行格鬥訓練，我熱血沸騰地開始任務，用實際行動告訴那些假人，惹火了蘿絲．海瑟薇會是什麼下場。

我知道自己這麼賣力，不是只想好好表現那麼簡單。今天早上，一想起和我媽媽和我昨天晚上看見的，我就控制不住自己的情緒。迪米特里坐在那裡看著我，偶爾指點一下我的技巧，或者給我提供一個新戰略。

「妳的頭髮很礙事！」他一針見血地說，「不只會影響妳的視野，跑起來的時候，妳的敵人也會利用這點抓住妳。」

「如果是實際戰鬥，我會把頭髮盤起來的。」我一邊咕噥，一邊將銀椿用力刺向假人的「肋骨」之間。我不知道這些假骨頭是用什麼材料做的，可它們是我發洩怒氣的好東西！一想起我媽媽，我的手又稍稍加了些力道。「我只不過今天將頭髮放了下來，就這麼簡單。」

「蘿絲。」他語帶警告地說，我沒有理會，又刺了一下，這回他開口的時候，聲音提高了一些：「蘿絲，住手！」

我退後幾步，驚訝地發現自己呼吸有些困難。我不知道自己究竟用了多大的力氣，我的背撞到牆上，沒有了去路，只好轉過頭不去看他，直直地看著地上。

「看著我。」他命令道。

「迪米特里……」

「看著我！」

不管我們過去多親密，他仍然是我的老師，我不能違背他的命令。我緩緩地、不情不願地看向他，頭仍然稍微低下來一點，這樣頭髮可以擋住我的臉。他從椅子上站起來，走過來站在我面前。我避免看他的眼睛，但是看到他的手撩開了我的頭髮，然後停下，我的呼吸也停止了。

我們兩個短暫的「戀情」中，雖然有各種各樣的問題，但是有一件事我很清楚——迪米特里喜歡我的頭髮。這是一頭漂亮的秀髮，我承認，又長又順、又黑又亮，他曾經找遍藉口，只為了摸一下，而且也不建議我像其他女性守護者一樣，將頭髮剪掉。

他的手在那裡徘徊，整個世界好像都凝固了，我等著他的下一步舉動。好像過了永遠那麼久之後，他才放下了手，胳膊垂在身旁。一股強烈的失落湧上心頭，與此同時，我也認清了一些事——他在躊躇不定！他害怕碰觸我！可能，僅僅是可能，他仍然渴望這麼做，但是他不得不克制自己的慾望。

我慢慢抬起頭，這樣可以看著他的眼睛。頭髮又垂落在我的臉前，但還有一部分沒有垂下。他的手開始顫抖，我暗暗期望他能夠更進一步，但是他的手停留在原地沒有動，我的期望落空了。

「疼嗎？」他問，鬍後水的味道混合著他的甜蜜，撲面而來。

老天！我多希望他能夠摸摸我。

「不疼。」我撒謊。

「看起來還不算太糟。」他對我說，「會好的！」

「我恨她！」話一出口，我才驚覺這三個字有多麼惡毒。雖然我現在的情感停留在迪米特里身上，但我還是無法抑制自己對我媽媽的怨恨。

「不，妳不恨。」他溫柔地說。

「我恨。」

「妳沒有時間去恨人。」他建議我，聲音充滿了關懷。「我們的職責不允許。妳應該和她和平相處。」

莉莎也說過同樣的話。我憤怒起來，心中的不滿開始沸騰。「和她和平相處？在她把我揍成熊貓眼之後？為什麼你們都看不出這件事有多惡毒？」

「她絕對不是有意這麼做的。」他的聲音變得嚴厲，「不管妳有多麼恨她，妳必須相信這點，她不可能這麼做。而且，那天之後我見過她，她很擔心妳。」

「也許是更擔心有人會起訴她虐待親生女兒。」我小聲抱怨道。

「妳不認為這是一年中原諒別人的最佳時刻嗎？」

我大聲尖叫：「這和耶誕節無關！而是我的人生。現實中，奇蹟和善良是不存在的！」

他仍然冷靜地看著我。「現實中，妳可以自己創造奇蹟。」

憤怒突然之間到了一個臨界點，我放棄了再次壓住自己怒火的想法。我已經厭倦了一直為自己生命中的錯誤尋找一個合理的理由、明智的作法。我心裡清楚，迪米特里只是想要幫助我，但我不想聽那些眞善美的無聊話，我只希望他抱著我，告訴我不用擔心。

「你能不能不要這麼做，哪怕就這一次？」我雙手扠腰。

「不怎麼做？」

「說一些虛無縹緲的屁話！你和我說話的時候不像個眞人，你口中的所有事，都是毫無意義的警句和人生格言。你的話聽起來，才眞的像是個耶誕節奇蹟！」

我知道將我的怒火全都發洩在他身上，並不是很公平，可我已經近乎於嘶吼了。

「我發誓，有時候你根本就是在自說自話，可我知道這不是你眞正的樣子。你跟塔莎說話的時候可正常了，但和我一起的時候呢？你總是擺出一副嚴肅的表情。你不關心我！你只是盡忠職守地扮演你那個愚蠢的導師的角色！」

他瞪著我，露出一副驚訝的表情，和平時很不一樣。「我不關心妳？」

「對！」

我很清楚事實，眞相是他非常關心我，而且不僅限於導師的關心範圍，可我就是控制不住自己，那些話就滔滔不絕地冒出來了。

我戳著他的胸口。「我只不過是你的學生之一，你只不過想要一直給我上一堂又一堂的人生意義課，以便於……」

那隻我原本希望可以摸摸我的手突然伸了過來，抓住我戳著他胸口的手。他將我的手牢牢壓在牆上，我吃驚地看著他眼中流露的激情，那不太像是出於憤怒，而是另外一種情感的爆發。

「不用妳告訴我我自己的感受！」他咆哮道。

我的話驗證了一半。大多數時候，他都是很冷靜、能夠很好地控制自己，甚至在戰鬥時也一樣。可他也曾經告訴過我，他是怎麼謾罵他的莫里族父親，然後將他殺死的。他和我確實一模一樣，總是不經思考就行動，做出一些不應該做的事情。

「就是這樣，對不對？」我問道。

「什麼？」

「你一直在和自己的內心爭鬥，你和我是同一類人。」

「不是！」他說，但很明顯，我的話觸動了他。「我已經知道該如何控制自己。」

這個新發現讓我勇氣倍增。

「不對！」我告訴他，「你不知道，你只不過裝得很像，大部分時候都好像很冷靜的樣子，但有時你做不到，而且，有時……」我向前湊過身子，壓低了聲音：「有時你根本不想克制自己！」

「蘿絲……」

我能聽見他急促的呼吸、聽見他的心跳和我的一樣快。他沒有將我推開，這是他犯的一個致命的錯誤。所有的理智都被我們拋到了九霄雲外，此時此地，我不在乎，我不想克制自己，我不想當個好孩子。

在他反應過來到底發生了什麼事之前，我吻了他。我們的唇貼在一起，當他開始回應我的時候，我知道自己猜對了。他將身子壓得更近，將我困在他和牆壁之間，他一直握著我的手，但另一隻手扶住了我的頭，穿過我的頭髮。這個吻揉合了各種情感，憤怒、激情、釋放……

吻結束了，被他。他猛地從我身上抽身，往後退了好幾步，身子微微顫抖。

「不可以再這麼做！」他僵硬地說。

「那就別回吻我。」我回敬他道。

他盯著我看了好久，「我不是在給妳上課，也不是在自說自話。因爲妳是我的學生，我這麼做只是爲了教妳學會自我控制。」

「幹得漂亮！」我有些痛苦地說。

他閉了下眼，吐了口氣，低聲用俄語呢喃地說了幾句，然後，看也不看我就走出了訓練室。

9

在那之後，我有一陣子沒有見到迪米特里。

當天晚些時候，他傳來一條簡訊，上面說要取消後面一個階段的訓練，因爲馬上整個學院就要出發去旅行了。

這不過是他的藉口，我十分清楚，這不是他取消訓練的原因。如果他想要避開我，我比較希望聽到他說他和其他的守護者一起去保護莫里族，或者是去參加類似電影中日本武士那樣的最高級祕密集訓。

憑著對他的瞭解，我知道他避開我的原因是那個吻，那個該死的吻！

我不是後悔自己吻了他，只有上帝知道，長久以來，我是多麼渴望與他親吻的滋味。但是，我選擇了一個錯誤的理由，讓自己放縱。

我吻他是出於傷心、出於氣憤，只一心想要證明我可以吻他。我厭倦了一直要做正確的事、明智的事。最近我一直試著控制我自己，可那時似乎暫時失控了。

我沒有忘記他曾經給我的忠告，我們兩個不能在一起，不僅僅是因爲年齡的問題，這還會波及到我們的工作。將他拉過來強吻上去……嗯，我在這個問題上煽風點火，有可能會傷害到莉莎，我不應該這麼做的！昨天，我是一時頭腦發熱，而今天，我的頭腦清醒了一點，眞不敢相信自己都做了些什麼。

耶誕節一早，梅森就跑來找我，我們和其他人一起出去。這是個很好的機會，可以讓我暫時將迪米特里從腦海中趕出去。

我喜歡梅森，非常喜歡，他不會讓我在不理他和嫁給他之間作選擇。莉莎曾經說過，如果我能重新開始和別人約會，對我是有好處的。

塔莎在學院爲客人準備的一間優雅房間裡，招待我們享用耶誕節的早午餐。整座學院裡，到處都有成群的人結伴一起舉辦活動，或者開派對。我注意到，塔莎的出現總會引起一陣騷動，人們要嘛偷偷地看她，要嘛就選擇避開她。有時候，她會特意站在那些人面前；有時候，她卻又刻意將自己變得不惹人注目，而今天，她選擇避開那些皇族，盡情享受這個沒有人歧視她的小型私人派對。

迪米特里也受邀前來，見到他，我的信心有些動搖。

爲了今天，他確實是盛裝出席……好吧！「盛裝」也許有些誇張，但這是我第一次見他穿成這樣。平時他的穿著比較不講究，這樣他可以隨時準備投入戰鬥，而今天，他黑色的頭髮束在腦後，並且盡量讓頭髮顯得一絲不亂。他穿著平時常穿的牛仔褲和皮靴，不過上身穿的不是T恤或者不透氣的襯衫，而是一件做工精緻的黑色針織衫，這件針織衫款式樸實，沒有設計元素，也不奢華，只是隱隱閃著微光。

仁慈的老天，這穿在他身上眞是再合適不過了！

迪米特里沒有針對我做出什麼事，他當然不會打破以往的方式跟我講話，只是一直拉著塔莎聊個不停。我饒有興味地從旁觀察，發現他們的談話一如既往的輕鬆愉快。我打聽過，他的一個好朋友是塔莎家的直系表親，所以他們才會認識彼此。

「五個？」迪米特里驚訝地問，他們正在討論朋友的小孩。「我從來沒聽說！」

塔莎點點頭。「眞是想不到！我發誓，他的妻子每次懷孕的間隔不超過六個月。她又不高，所以變得越來越胖！」

「我第一次見到他的時候，他曾經信誓旦旦地說，他根本就不想要小孩！」他的眼睛因爲激動而張大。「妳應該看看他現在的樣子，他整天都跟在孩子後面團團轉，大部分時間，我甚至聽不懂他說的話，他說Baby語言的時候多於說英語的時候。」

迪米特里又露出他罕見的笑容。「呃……小孩是可以令人改變的。」

「我無法想像這發生在你身上的樣子。」塔莎大笑。「你屬於那種堅忍克己的人，當然……我希望你在講Baby語言的時候最好說俄語，這樣就不會有人知道你在幹什麼了。」

他們都爲這個笑話感到好笑。

我轉過身，感謝還有梅森可以聊天，他可以讓我將注意力從這一切上轉移開來，除了迪米特里對我視而不見，莉莎和克里斯蒂安也縮在他們的兩人世界裡，竊竊私語之外。

美妙的情愛讓他們彼此更加深愛對方，我想知道，在整個滑雪旅行期間，我是不是還有機會和她在一起？不過莉莎還是慢慢推開克里斯蒂安，跑來將耶誕禮物送給我。

我打開盒子，看向裡面。盒子裡面裝著一串栗色的珍珠手鏈，散發出玫瑰的芬芳。

「這眞是……」我將珍珠手鏈拿出來，最末端還懸掛著一個沉甸甸的金十字架。

「妳打算讓我改變信仰嗎？」我揶揄地問。

莉莎不是那種狂熱的教徒，只不過信仰上帝、按時去教堂。許多莫里都是從俄國或者東歐遷過來的，她信的是正宗的東正教。

至於我？我本人是個正宗的不可知論信徒，我認爲上帝很可能是存在的，但我可沒時間，也沒有精力去研究祂。莉莎尊重我，從來不會將她的信仰強加給我，所以，這個禮物送得非常奇怪。

「翻過來。」她說道，很顯然爲我的吃驚而感到得意。

我照做。十字架的背後，刻著一條圍在花圈正中的龍，這是德拉格米爾家族的紋章。我抬頭看著她，有些迷惑不解。

「這是我們家的傳家寶。」她說，「我爸爸的一個好朋友替他保留了一箱東西，這是其中之一，曾經屬於我偉大的祖母的一個守護者。」

「莉茲……」我說。這串念珠被賦予了全新的意義！「我不能……妳不能送我這麼貴重的禮物！」

「可是，我眞的不能自己用它，它屬於守護者——我的守護者。」

我將手鍊戴在手腕上，它繞在我的皮膚上，酷極了！

「妳知道，」我揶揄她說，「在我成爲妳的守護者之前，可能因爲各種原因被趕出學院。」

她笑了笑。「好吧！到時候妳再還給我好了。」

所有人都笑了起來。

突然，塔莎看向門口，「珍妮！」

我媽媽站在門口，看起來同樣的僵硬冷漠。

「抱歉，我來晚了。」她說，「我剛剛有任務在身。」

任務，一如既往，甚至連耶誕節也不例外。

我咬緊牙關，覺得胃有些難受，臉頰通紅，腦海裡不禁回想起她和我打架的那一幕幕。在那之後的兩天裡，她一句話都沒有跟我說過，包括在急診室的時候，沒有道歉，什麼都沒有。

她坐下來，加入我們的談話中。我發現她似乎只有一個話題可以談：守護者的職責。我很好奇她是否還有其他的愛好。

巴蒂卡家的慘案每個人都聽說了，她順著這個話題，談起了她曾經參加的一個與之相似的戰鬥，恐怖的是，梅森似乎對她說的每個字都十分著迷。

「嗯，斬首並沒有看起來那麼容易。」她用實事求是的語氣說。

我從來沒有認為斬首是一件容易的事情，可她的語氣似乎認為所有人都覺得這是小菜一碟。

「你要從脊髓和肌腱當中砍過去。」

心電感應告訴我，莉莎有些神經緊張，她不太適應這個話題。

梅森的眼睛亮了起來。「最適合用來斬首的武器是什麼？」

媽媽想了想。「斧子。它可以加重你的力道。」說著，她比劃了一下，用來作進一步說明。

「酷斃了！」梅森說。「老天，我眞希望能夠他們能夠發給我一把斧子！」

這個想法眞是滑稽可笑，斧子是最笨重的武器，一點都不方便攜帶。有一刻，一想到梅森扛著斧子走在路上，我竟然有些緊張起來，不過這種情緒轉瞬即逝。

我眞是不敢相信，我們居然在耶誕節的時候談論這種話題。她的存在搞砸了這一切！幸運的是，這群人漸漸散開，莉莎和克里斯蒂安去做他們自己的事，迪米特里和塔莎很顯然有更多體己話要說。

我和梅森往宿舍走去，這時，我媽媽追了上來，和我們並肩而行。一路上，沒有人說話，黑色的夜幕中，繁星點點，在星光映襯下的冰雪，顯得更加晶瑩可愛。

我穿著象牙色的皮衣，領口袖口都有人造毛，它的保暖性非常好，但對刺在我臉上的冷風卻無可奈何。我一邊走，一邊在心裡暗暗祈禱，希望媽媽能轉身向守護者的休息區走去，可她卻一直跟著我們走進了宿舍。

「我有話要跟妳說。」她終於開口道。

我心裡警鐘大作。現在該怎麼辦？

她只說到這裡，梅森立刻領會了她的意思。他既不是傻子，也不是不明白事理的人，有那麼一會兒，我眞希望他沒有這麼機靈。

眞是諷刺！作爲一個想要殺光血族的人，他卻那麼怕我媽媽！

他懷有歉意地看了我一眼，聳聳肩，然後說：「嘿，我有點事……呃……要先走。一會兒見。」

我看著他離去的背影，心下有些後悔，眞希望自己能追上去。不過如果我眞的這麼做，我媽媽很有可能會拉住我，再將我的另一隻眼揍個黑眼圈。

氣氛十分尷尬，我爲了不和她對視而四處看著，等著她繼續往下說。我用餘光掃了一下，發現周圍有幾個人正看向我們這邊，想起全世界的人幾乎都知道是她把我揍成這副慘樣的，我突然不想讓他們看見她是如何教訓我，而我又是如何被她惹惱的。

「妳想……呃……去我的房間嗎？」我問道。

她有些吃驚，拿不定主意。「當然。」

我領著她上樓，一直和她保持著安全的距離。我們兩個都有些尷尬，她一言不發地跟我進了房間，仔細地檢查每一個微小的地方，似乎怕我的房間裡潛伏著血族。我坐在床上，看她在屋子裡走來走去，不知道自己應該怎麼做。

她用手撫著一排關於動物行爲和進化論的書。「爲了功課嗎？」

「不。個人愛好而已。」

她揚了揚眉，從來不知道我有這種愛好。當然了，她怎麼會知道呢？對我的事情，她一無所知！

她繼續在房間裡蹓躂，在令她感興趣或者覺得吃驚的地方前面停下來，比如我和莉莎在萬聖節扮成小仙子的合影、比如一包糖果……好像她剛剛才認識我一樣。

突然，她轉過身，朝我伸出了手。「給妳。」

我很吃驚，湊身向前伸出手，手心朝上，放在她的手底下。

一件小小涼涼的東西掉在我的手心裡，那是個圓形的小吊墜，非常小，直徑大概比一個骰子大不了多少，銀色的底盤上面，有各種顏色的玻璃圈圈。

我皺著眉頭，用大拇指摩挲著吊墜的表面。這個吊墜很奇怪，那些圈圈合在一起，看起來就像是一隻眼睛。最裡面的一個很小，看起來像個小人，深藍的顏色近乎於黑。外面比較大的一圈是碧藍色的，外面套了一層白色的圈，白圈的外面，是一條極細極細的深藍色線。

「謝謝。」我說。我從沒想過會收到她送給我的禮物，這份禮物很怪，她到底爲什麼要送我一隻眼睛呢？「我……我沒有什麼能送給妳。」

媽媽點點頭，表情比以往更冷了些。「沒關係，我什麼都不需要。」

她轉過身，開始在屋子裡踱步。屋子可供她踱步的空間有限，她嬌小的身材為自己爭取到了更多的空間。每一次，她從對著我的窗前走過，玻璃都映出她深紅色的頭髮，根根分明。我好奇地看著她，意識到她和我一樣緊張。

她停了下來，轉身看著我。「妳的眼睛怎麼樣了？」

「好多了。」

「那就好。」她張著嘴，我以為她接下來可能會向我道歉，但是她沒有。

她又開始踱步，我決定要做點什麼，於是我開始收拾起今天收到的禮物。今早我的收穫頗豐，其中有一條絲質的裙子是塔莎送給我的，大紅色的底，上面印滿了綻放的花朵。

媽媽看著我站在衣櫥鏡前，拿著裙子比來比去。「塔莎是個很不錯的人。」

「對。」我附和說，「沒想到她會給我買禮物，我真的很喜歡她！」

「我也是。」

我轉過身，驚訝地看著我媽媽，她的驚訝不亞於我。如果我不是很清楚我們兩個之間的問題，幾乎要承認我們剛剛竟然就某一件事達成了共識，也許耶誕節的奇蹟真的發生了！

「貝里科夫守護者跟她很合適。」

我眨眨眼，不是很明白她在說什麼。「迪米特里？」

「貝里科夫守護者。」她嚴肅地更正道，仍然不贊同我隨隨便便稱呼他的方式。

「怎麼……怎麼合適了？」我問。

她揚起了一邊的眉毛。「妳沒聽說嗎？塔莎請他做她的守護者，因爲她目前還沒有守護者。」

我覺得自己像是被人揍了一拳。「但是他……他被分派給莉莎了。」

「分派是可以改的，考慮到歐澤拉家族的聲望……可她仍然是皇室，如果她堅持，還是有可能的。」

我盯著前面發愣。「好吧！我猜這不過是出於友誼或者什麼的。」

「不只是朋友……不過也有可能。」

砰！又一拳。

「什麼？」

「她……對他很感興趣。」從媽媽的口氣聽來，很明顯她對這種浪漫八卦不感興趣。「塔莎想生一個拜爾寶寶，他們如果朝夕相處的話，有可能會生一個……呃……如果眞的安排他成爲她的守護者的話。」

哦，我的老天！時間停止了，我的心臟也停止了跳動。

我知道媽媽在等著我的回應，她倚著我的書桌，看著我。也許她能夠找到血族的蛛絲馬跡，但絕對不會明白我的感受。

「他……他會同意嗎？成爲塔莎的守護者。」我弱弱地問道。

媽媽聳聳肩。「我想他目前還沒有同意，不過這是早晚的事，這是個難得的機會。」

「當然了。」我回應道。迪米特里爲什麼要拒絕成爲他好朋友的守護者，然後和她生一個孩子呢？

後來，我媽媽好像又說了很多，可我一點都沒聽進去。我一直在想著迪米特里要離開學院、離開我的事。我想起了他和塔莎相處的方式，那麼和諧，回憶完這些，我又開始想像不遠的將來他們兩個在一起，撫摸、親吻、赤身裸體，還有其他……

我用力閉上眼睛，閉了一會兒，然後睜開。

「我很累了。」

媽媽的話剛剛說到一半，我不知道在打斷她之前，她都說了些什麼。

「我真的很累了！」我又重複了一遍，幾乎能聽到自己的回聲，空洞、冰冷。「謝謝妳送的眼睛……呃……禮物，如果妳不介意的話……」

媽媽驚奇地看著我，表情顯出赤裸裸的困惑，然後，和以往一樣，她職業性的冷漠又殺了回來。直到這一刻，我都還沒有意識到她剛剛很放鬆，可確實如此，有一刻，她和我待在一起時非常自在，但現在，那種自在不見了。

「當然。」她乾巴巴地說，「我不想打擾妳。」

我想告訴她不是她想的那樣，我想告訴她我不是因爲私人原因想要趕她走，我想告訴她我希望她能像那種普通的媽媽一樣，充滿愛心和理解。我希望她是一個我能依靠的媽媽，甚至是一個我可以將我的戀愛困擾對她傾訴的媽媽。

老天！我眞希望能有這麼一個人聽我說，眞的！特別是現在！

但是，我沉湎於自己的想像，無法自拔，什麼都說不出口，好像是有人將我的心臟挖了出來，然後將它扔向屋子的另一邊。我的胸口炙熱，疼痛難忍，不知道怎麼做才能讓它不再疼痛。我只知道一件事——迪米特里不再屬於我了。

我什麼都沒有再說，因爲，我已經完全喪失了語言能力。她的眼中帶著羞憤，嘴唇抿得緊緊的，與她平時生氣時的樣子一模一樣。她什麼都沒說，轉身走了出去，將門重重地甩在身後。我也經常會這麼甩門，我想，我們身上確實擁有一樣的基因。

很快地，我就將她拋在腦後，就那麼呆呆地坐著、想著。

我就這樣坐了一天，連飯都沒吃，中間還掉了幾滴眼淚。大部分時候，我都沉浸在自己的世界裡，覺得越來越絕望。

比想像迪米特里和塔莎在一起更糟的事情，就是回憶我和他在一起的時光。他不會再撫摸我了，也永遠不會再吻我……

這眞是有史以來最糟的一個耶誕節！

10

滑雪旅行還不會立即啓程，不去想迪米特里和塔莎的事情，似乎也不太可能，不過，至少收拾行李和做準備讓我不用將百分之百的精力都放在這件事上……大概只有百分之九十五！

還有別的事情可以讓我稍稍分散一下注意力，比如，學校準備了許多私人飛機，這也就是說，血族不會找到機場來，而我們可以乘飛機去滑雪。

私人飛機要比普通的客機小得多，但是座位十分寬敞，腿部的伸展空間也大得多，椅背可以向後放，你幾乎可以躺在上面睡一覺。在長長的飛行途中，一般座椅上的影音設備提供的影片很少，有時連過於豐盛的餐點都不會有，不過我打賭，在這次旅途中，這兩樣都不會少！

我們在二十六號近午出發，我一上飛機，就四處尋找莉莎的身影，想找她說說話。從耶誕節的早午餐之後，我就沒有再見到她了。不出意料，我看見她和克里斯蒂安坐在一起，他們看起來似乎並不想被人打擾。

我聽不見他們在說什麼，但是克里斯蒂安非常隨意地用手摟著莉莎，眉飛色舞的表情，只有和她在一起的時候才會有。我記得我曾經認爲他對莉莎的關心和照顧永遠比不過我，但很明顯，他讓她變得很開心。

我堆起一副笑臉，對他們點點頭，然後朝走道那邊正對我揮手的梅森走去。途中，我經過迪米特里和塔莎身邊，但沒有理會他們。

「嘿。」我一邊坐下，一邊跟梅森打招呼。

他回給我一個笑容。「嘿！妳準備好滑雪的挑戰了嗎？」

「萬事俱備。」

「別擔心。」他說，「我會讓著妳的。」

我將頭靠在椅背上，嘲笑他說：「你別癡心妄想了！」

「正常人通常很無聊。」

他握住我的手的時候，我心頭微微一顫。他的手非常溫暖，當他碰到我的時候，我身上湧起了一股暖流，這令我有些意外，我一直認爲只有迪米特里才能讓我有這種感覺。

是時候向前看了！我想道。迪米特里已經向前走了一步，妳也早該這麼做的。

我的手指和他的纏繞在一起，看到他錯愕的表情。「我有預感，這次旅行不會令人失望的！」

我一直想要提醒自己，千萬別忘了我們到這裡來的起因是一場悲劇，外面還有血族和人類隨時可能發起攻擊，不過，好像沒有人記得這一切，我承認，我自己也處於人生中的低谷。

滑雪場眞是太棒了！它的外形像是一座大木屋，但是，沒有木屋可以像這個一樣容納好幾千人，還有豪華的客房。金光閃閃的三層樓大木屋矗立在松林中，優雅的拱形窗戶又高又大，爲了莫里的習慣，上面覆了一層塗層。所有的入口都高高掛著水晶燈，造型跟火炬相仿，裡頭卻是現代的電燈，這些燈使得整座建築物金碧輝煌，發出寶石一樣晶瑩璀璨的光芒。群山環抱著我們，在夜晚之中，朦朦朧朧，我打賭，天亮之後絕對是一副壯觀景象！院裡的一側通向滑雪區，那邊山勢陡峭，都是小雪坡，上面有纜車和纜繩。另一側有一座小房子，裡面有一個溜冰場，我很高興，發誓自己絕不能錯過在上面滑冰的機會。

這就是木屋外面的所有情況。

木屋裡面，所有的設施一應俱全，都是爲莫里族量身訂作的。餵食者時刻待命，做好了二十四小時餵食的準備。電梯晝夜不停地開著，結界和守護者將整個木屋圍在中間。這是一個吸血鬼夢寐以求的地方！

主廳裡面有一個教堂樣式的天花板，上面懸掛著一個巨大的燭台吊燈，地面是由整塊的大理石鋪成，前台後面有許多圓形的鐘錶，顯示世界各地的時間，大廳還包括走道和休息區，主色調是紅、黑和金色，在眾多的顏色中，又以暗紅色爲主，我想知道這和鮮血的顏色相契合的主色是不是僅僅是個巧合。牆上懸掛著鏡子和各種畫作，大廳裡零星散落著幾張裝飾用途的桌子，上面擺放著淺綠色的花瓶，淡紫色的蘭花散發出幽幽的花香，瀰漫在這火一般的景色中。

我和莉莎共住的臥室，比我們兩個在學院的宿舍加在一起還要大！房間的色調同大廳一樣，毯子又軟又厚，我在門口迫不及待地脫下鞋子，光著腳走了進去，腳下柔軟的觸感，令人充分享受到奢華的感受。

我們的床是特大號的，上面鋪著羽絨被和大大小小的枕頭和靠墊。我打賭，人只要躺上去就會淹沒其中，再也找不著！

通往寬敞陽台的法式大門敞開著，由於我們身處最頂層，如果不是外面冷得凍死人的話，去外面待一會兒肯定酷斃了！不過，我想，另一邊的兩人浴缸能夠稍稍彌補一下被凍僵的身體。置身於這麼奢華的房間內，我開始審視其他豪華的設施。黑色大理石的浴缸、等離子電視、裝有巧克力和甜點的食品籃。我們最後決定去滑雪，我幾乎是用拖的才讓自己走出了這個房間。

我打賭，我可以將整個假期都耗在這裡，而不會覺得無聊！

但，我們還是來到了外面，再一次，我想方設法不去想迪米特里和我媽媽的事，我開始享受自己的假期。寬敞的大廳很容易令我放鬆，幾乎不會有機會讓我想起他們。

這個星期，我第一次將注意力完全放在梅森身上，發現他是那麼幽默。我也有了更多的時間跟莉莎在一起，這讓我的心情稍微開朗了一些。

莉莎、克里斯蒂安、梅森、我，我們四個人在一起，好像是那種四人約會。我們這一天差不多都耗在滑雪場，不過那兩個莫里族的速度有點慢，我和梅森因爲受過專門訓練，不太害怕，挑戰高難度，這種爭強好勝的性格，使得我們渴望用更快的速度超越彼此。

「你們簡直是在自殺！」克里斯蒂安叫道。外面的天色已經暗了下來，高大的路燈照亮了他擔心的面孔。

他和莉莎站在滑雪坡的坡底，看著我和梅森從上面衝下來。我們的速度快得驚人，我心裡某處也想像迪米特里一樣保持冷靜和理智，告誡自己這麼做很危險，但是，還有一半熱衷於投入冒險的懷抱，那種對冒險的渴望最終佔了上風。

我們滑到坡底的時候，梅森朝我笑了笑，揚起了一捧雪。「不，現在不過是熱身！」

莉莎搖了搖頭。「你們不覺得有點玩過頭了嗎？」

梅森和我對視一眼。「不。」

莉莎又搖搖頭。「好吧！我們要上去了，自己顧好你們的小命。」

她和克里斯蒂安手挽手一起離開了，我看著他們的背影消失在遠方，然後轉身看向梅森。「我還能再繼續，你呢？」

「奉陪到底！」

我們坐著纜車回到山頂，剛要再度往下衝的時候，梅森指了指遠處一個難度最大的斜坡。

「我們這麼比怎麼樣？翻過那些雪坡，然後跳過山脊，用滑雪杖做一個迴旋，避開那些樹，最後停在那裡。」

我順著他的手指看向那個斜坡，不禁皺了皺眉。

「這太瘋狂了！梅斯。」

「啊哈！」他洋洋得意地說，「妳終於不敢了。」

我怒目而視。「我沒有。」

他又說了一遍他的瘋狂路線，我同意了。「好吧！就這麼決定了。」

他做了手勢。「您先請！」

我深吸一口氣，縱身一躍。

我的滑雪板在光滑的雪面上滑行如飛，任憑風在我耳邊呼嘯。我的第一跳俐落準確，但是隨著後面的賽程一一閃現，我才意識到這麼做有多危險。在那一刻，我需要立刻作出決定，如果我放棄，後面便要忍受梅森沒完沒了的嘮叨，可我眞的不想認輸。如果我做到了，我肯定會爲自己的偉大而感到驕傲；可如果我失敗了……有可能會跌斷脖子！

我腦中響起一個聲音，像迪米特里一樣，警告我自己要作出明智的選擇，克制自己的衝動。但，我選擇忽視這個聲音，繼續向前。

這一段路程和我想像中一樣艱難，但是我都完美地克服了，瘋狂的動作一個接一個。每當我做出一個危險的急轉彎，雪花都在我身後飛舞。

在安全抵達終點之後，我抬頭看著梅森，他興奮地向我揮手。我不知道他是什麼表情，也不知道他說了些什麼，但是我能想像出他的興奮之情。我也向他揮了揮手，等著他滑到我眼前。

可梅森沒能做到！滑到一半的時候，他沒能完全跳起，他的滑雪板被卡住了，腿扭到了，然後摔了下來！

我跑過去的時候，救援人員也同時抵達。讓所有人鬆口氣的是，他沒有跌斷脖子，也沒有弄傷別處，只是腳踝明顯地腫了起來。之後幾天，他肯定不能再滑雪了！

此時，負責監視滑雪場的一名輔導員跑了過來，臉上帶有明顯的惱怒。

「你們這些孩子到底是怎麼想的？」她責備道，然後，轉身看向我。「我眞不敢相信妳居然做出這麼愚蠢的行爲！」然後她的怒火射向梅森。「而你居然跟在後面模仿她！」

我想爭辯說這全都是他的主意，但是，這些責備已經於事無補。

在我們回去的路上，我有點後悔了。我對此旁無責貸，如果他眞的受傷了怎麼辦？我腦中開始想像那可怕的一幕，梅森拖著一條骨折的腿……跌斷了的脖子……

我剛才到底在想什麼？沒有人強迫我這麼做呀！梅森只是提了個建議，可我並沒有回絕他！天知道，我本可以這麼做的！

我可以用幾句嘲諷就結束這件事，梅森對我已經近於癡狂，出於對女性的奉承，他也會同意不再進行這種瘋狂的行爲。但，我當時興奮得過了頭，這種冒險，這種不亞於我強吻迪米特里的冒險所帶來的刺激，令我不計後果。我內心深處非常隱密的部分，仍然潛藏著一種衝動、一種原始野性的慾望，梅森也是如此，他的野性喚醒了我的。

腦子裡那個聲音又以迪米特里的樣子譴責了我一遍。

梅森安全地回到大廳以後，用冰塊敷著腳踝，我則拿著滑雪用具走到外面的存放處。往回走的時候，我避開了一直走的那條路，選了另外一條，這個入口通往一個巨大的天台，周圍用華麗的木欄圍住。天台依山而建，可以將周圍山頂山谷的景色盡收眼底，前提是如果你願意長時間站在能結冰的溫度裡享受這一切的話，可大部分的人都沒有這種愛好。

我拾級而上，走上了天台，跺腳撣掉靴子上的雪。一股又辣又甜的味道隨著空氣飄了過來，這股味道有些熟悉，在我想起來之前，一個聲音突然從我身後的陰影處傳來。

「嘿！小拜爾。」

我嚇了一跳，知道天台上確實有人。那是一個男性，一個莫里族男性，斜靠在離門不遠的牆上。他嘴裡叼著一根香煙，深吸了一口，然後將煙頭丟在地上，踩息了煙頭，朝我微微一笑。

這就是那股味道！我想了起來，丁香雪茄的味道！

我站住，雙臂環胸，警惕地看著他。

他比迪米特里要矮一些，但並不像一般的莫里族那樣纖細高挑。一件長長的活性炭大衣，也可能摻了其他非常昂貴的喀什米爾羊毛，穿在他的身上非常合身，他腳上穿的皮鞋也顯示出價格不菲。一頭棕色的頭髮，好像是故意弄得凌亂。他的眼睛綠中泛藍，在這種光線下我看不太清楚。

他長得很惹人喜愛，我猜，他的年齡大概比我大了一輪以上！

「有事？」我問道。

他打量了我一下，我已經習慣了莫里族的男生們這麼看著我，但是，他們從沒有這麼明目張膽，而我冬天通常也不會穿得嚴嚴實實。

他聳聳肩。「就只是打個招呼而已。」

我等他繼續說下去，但他只是將雙手插進大衣口袋裡。我也聳了聳肩，又上了幾步台階。

「妳知道嗎？妳聞起來好極了！」他突然開口。

我再次停下腳步，困惑地看著他，這卻讓他的笑容變得更燦爛。

「我……什麼!?」

「妳聞起來好極了！」他又說了一遍。

「有沒有搞錯？我已經流了一整天的汗了，汗味很難聞的！」

我想離開，但是心裡又對這個人生出了一種奇怪的恐懼，就像是火車脫離了軌道。我不覺得他很有吸引力，只是突然覺得和他聊天很有意思。

「流汗不是件壞事。」他說著，仰頭靠在牆上，看起來若有所思。「有些生命中美好的事情，就是在流汗的時候發生的。如果一個男人流汗太多，就會變得刺鼻難聞，這可是相當嚴重的，但是對於一個美麗的女士來說呢？卻是很令人激動的！

如果妳能有吸血鬼的嗅覺，就會明白我在說什麼了。有的人不懂這其中的奧祕，用香水將這種氣味掩蓋起來。香水是件好東西……特別是妳找到了適合自己的一款，但只需要一點點，香水佔百分之二十，妳自己的味道佔百分之八十……嗯嗯嗯。」他仰著頭看向我，「性感極了！」

我突然想起了迪米特里和他的鬍後水，對！那絕對性感極了！不過我不會向這個人透露一丁點的。

「好吧！謝謝你的氣味課。」我說，「可是我沒有香水，所以我要去把我身上這些熱汗洗掉了，眞是抱歉！」

他拿出一包香煙，遞給我一根，然後向上走了一階，拉近了我們的距離，這麼做已經能讓我聞到他身上的酒味了。

我看著香煙，搖了搖頭，他自己抽了一根出來。

「這可是惡習喲！」我看著他點燃了香煙。

「惡習之一。」他回答完，又深吸了一口。「妳和聖弗拉米爾的人一起來的？」

「對。」

「那麼等妳長大後，會成爲一名守護者囉？」

「顯然如此。」

他將煙吐了出來，我看著它飄散在夜空中。不知是否因爲他有吸血鬼高度靈敏的嗅覺，看起來，他好像能分辨出這些香味中涵蓋的各種味道。

「妳還有多久才成年？」他問。「我可能需要一個守護者。」

「春天我就畢業了。不過，我已經被分派好了，對不起！」

他的眼中閃過一絲驚訝。「是嗎？那個小夥子是誰？」

「那位女士的名字叫瓦西莉莎．德拉格米爾。」

「啊？」他的臉笑成一團。「難怪！我一看見妳就覺得妳是個大麻煩。妳是珍妮．海瑟薇的女兒？」

「我叫蘿絲．海瑟薇。」我更正他的說法，不想成爲我媽媽的附屬。

「很高興見到妳，蘿絲．海瑟薇。」他伸出戴著手套的手，我猶猶豫豫地握住。「艾德里安．伊瓦什科夫。」

「認爲我是個大麻煩的人。」我喃喃地說。伊瓦什科夫家族也屬於皇族，是最富有也是權力最大的家族之一，怪不得他這麼自負。

他笑了起來，笑容和善自信，笑聲悅耳動聽，令我聯想起熱乎乎的焦糖從銀羹上滴落。「握個手吧！我們兩個都是名聲在外的人。」

我搖了搖頭。「你一點也不瞭解我，而我只聽說過你的家族，對你也一點都不瞭解。」

「想瞭解一下嗎？」他逗趣地問。

「對不起，我不喜歡老男人。」

「我今年二十一，沒有那麼老。」

「我有男朋友了！」

這是個善意的小謊言，梅森到目前為止還不算是我的男朋友，但我希望如果他知道我有男朋友的話，會放我一馬。

「妳到現在才說，眞有意思！」艾德里安悄聲說，「不是他送了這個黑眼圈給妳吧？」

雖然外面很冷，但我卻覺得自己的臉燒得通紅。我剛才還希望他不會注意到我的眼睛，這眞是傻透了！他可是吸血鬼，說不定我一走上天台他就發現了。

「如果是他做的，他就活不到現在了！我是在……訓練的時候弄傷的，我是說，我參加了對守護者的集訓，我們在課堂上一般都要打來打去的。」

「那很棒！」他說完，將第二根煙扔在地上，將它踩滅。

「揍了我的眼睛？」

「呃……不，當然不是。我是說，想到妳能打善鬥就覺得很棒，我對身體有接觸的運動都很著迷。」

「我相信這點。」我冷冷地說。他既自大又狂妄，我是強忍著才沒有馬上離開。

突然，我身後響起了腳步聲，回過頭，我看見米婭從小路上走過來，走上了台階。她看見我們，突然停住了腳步。

「嘿！米婭。」

她看了看我們兩個。

「又一個？」她問道。聽她的語氣，不知道的人可能以為我有一大群男朋友。

艾德里安略帶詢問地看著我，一副看好戲的表情。我咬了咬牙，不打算回應，選擇表現得禮貌一些。

「米婭，這是艾德里安．伊瓦什科夫。」

艾德里安轉頭看向米婭，握了握她的手。「能認識蘿絲的朋友是我的榮幸，尤其是這麼漂亮的朋友。」他說得好像我和他是青梅竹馬一樣。

「我們不是朋友。」我說，這已經很客氣了。

「蘿絲只和精神變態的男生約會。」米婭說，聲音一如既往地帶著對我的不屑，但是，她的表情明白地顯示出，她對艾德里安很感興趣！

「哦？」他歡快地說，「我是個神經病，也是個男生，這就解釋了為什麼我們是好朋友。」

「我們還不算是朋友。」我對他說。

他笑了起來。「總要表現得高不可攀，是吧？」

「她沒有那麼不好上手。」米婭說，很顯然對艾德里安對我表現出興趣而氣憤不已。「我們學院裡有一半的男生都可以證明。」

「對！」我回敬道。「另一半男生可以證明的人是米婭。如果你能幫她，她會答應你的所有要求。」

當米婭對莉莎和我宣戰的那一刻起，她就設法讓許多男生在學院裡到處散播我是一個隨隨便便的人的謠言。諷刺的是，她能令他們這麼做，是因爲她和他們都睡過覺。

她的臉上閃過一絲尷尬，但仍然堅守陣地。「好吧！」「至少我不是免費的。」

「妳說夠了嗎？」我問道。「上床時間已經過了，現在是大人們的談話時間。」米婭的娃娃臉是她的一大弱點，我特別喜歡在這點上作文章。

「當然！」她乾脆地說。她的臉粉撲撲的，更強調出她那張洋娃娃一樣的臉孔。「我還有更要緊的事要做！」她向門口走去，然後扶著門檻停了一下，看向艾德里安。「她那個黑眼圈是她媽媽送的。」說完，她走了進去，花式的玻璃門在她身後重重關上。

艾德里安和我默默地站著，最後，他又掏出了一根煙點上。「妳媽媽？」

「閉嘴！」

「妳是那種要嘛是精神伴侶、要嘛是死對頭的人，對嗎？沒有中間地帶。妳和瓦西莉莎簡直親如姊妹，嗯？」

「我想是的。」

「她怎麼樣？」

「你這是什麼意思？」

他聳聳肩，我敢說，他這種隨意是裝出來的。

「我不知道，我是說，我知道妳們逃跑的事，還有關於她家以及維克多·達什科夫的事……」

我聽到他說出達什科夫的名字，呆了一下。「所以？」

「不知道。只是覺得她可能要承擔很多……妳知道，控制住自己。」

我仔細地看了看他，想知道他瞭解多少。莉莎脆弱的精神問題曾經被洩露出去，但是情況及時得到了控制，大部分人都忘記了這件事，或者僅僅將它當作一個謠言。

「我得走了！」我覺得現在最好立刻離開。

「妳確定？」他的聲音中帶有一絲失望，可能是因爲他之前一直像隻驕傲的公雞，並且以此爲傲。我仍然對他感到好奇，但是，不管怎麼樣，這都不足以打敗我其他的直覺，或是冒險討論莉莎的問題。「我認爲現在是成年人的談話時間，有很多成年人的話題可以聊。」

「太晚了！我很累，而且你的煙味讓我有些頭疼。」我大聲說。

「妳應該更公平一點！」他吸了口煙，又吐出來。「許多女人認爲我這樣很性感。」

「我認爲你這麼做，是爲了在想下一個笑話的時候有事可做。」

他被煙嗆了一口，一邊咳嗽一邊笑。「蘿絲·海瑟薇，我眞是迫不及待想要再見到妳了。如果妳在這麼疲憊、這麼生氣的情況下還這麼迷人，在穿著這麼笨重的滑雪服的時候還這麼美麗，那麼，同妳春宵一刻肯定非常銷魂！」

「如果你說的『銷魂』是指爲自己的性命擔憂的話，那麼，對！你說得對！」我猛地拉開門，

「晚安！艾德里安。」

「我們很快會再見面的。」

「不見得。告訴過你了，我對老男人不感興趣。」

我走進大廳，當門關上的那一刻，我剛剛好聽見他在後面喊：「對！妳不感興趣！」

11

莉莎一夜未歸，甚至在我第二天早上起床的時候，她還不見蹤影！這意味著我可以自己獨佔浴室，做好一天開始的準備。

我喜歡這裡的浴室，它非常非常大，將那張超大號的床放進去都綽綽有餘。分別從三個噴頭噴出來的熱水讓我徹底清醒了過來，但是，我的肌肉仍然因爲昨天激烈的運動而感到酸痛。

我站在全身鏡前梳理頭髮，失望地看著仍然沒有消下去的黑眼圈。不過，瘀傷消退了不少，顏色淺多了，變成青黃色，遮瑕膏和粉底已經可以將它完全遮住了。

我下樓去找東西吃，餐廳的早餐時間剛剛過去，一個女服務員拿給我幾塊杏仁蛋白軟糖圓餅。我拿了一塊，邊走邊嚼，集中精神透過心電感應尋找莉莎的位置。過了一會兒，我感應到她在大廳的另一邊，遠離學生的住宿區。

我跟著感覺一直走到了三樓的一個房間外，敲了敲門。

克里斯蒂安走過來開了門。「睡美人光臨，歡迎歡迎。」

他帶著我走進房裡，莉莎盤腿坐在房間的床上，看見我，她笑了。

這個房間和我的一樣華麗，大部分家具好像都被搬到了一旁，留出一大塊空地，空地中央，塔莎站在那裡。

「早安。」她說。

「嘿！」我回應道，盡量避免看她。

莉莎拍了拍她旁邊。「妳來得正好。」

「有什麼事？」我坐到她身邊去，吃光了最後一塊圓餅。

「壞事。」她淘氣地說，「妳看了就知道。」

克里斯蒂安走到空地中間，站在塔莎對面，他們看著彼此，忘記了一旁的莉莎和我。很明顯，我的到來打斷了他們。

「那麼我爲什麼不能用咒語定住他們呢？」克里斯蒂安問道。

「因爲那會消耗許多能量。」塔莎對他說。雖然穿著牛仔褲、綁著馬尾辮，還有那傷疤，她看起來還是很可愛。「而且，那並不能殺死你的敵人。」

他不屑一顧。「爲什麼我要殺死血族呢？」

「你不見得永遠都是實際戰鬥的那一個，也許你需要瞭解得更多一些。不管怎樣，你都應該作好各種準備。」

他們在進行魔法攻擊訓練！我突然明白過來，激動和好奇取代了我見到塔莎之後的悶悶不樂。

我一直認爲有那種用於實際用途的魔法，但是……哇哦！想像和親眼見證是兩種完全不同的感覺。

莉莎說他們是在「做壞事」，這並不是在開玩笑。將魔法用作武器是被禁止的一件事，是要受到懲罰的罪行。如果是學生這麼做還可能會被原諒，然後被記過處分，但是一個成年人這麼做，而且還教別人這樣做……這就是塔莎面臨的最大問題。

有一刻，我惡作劇地想要告發她，但下一秒，我就打消了這樣的念頭。我可能會因爲迪米特里的關係怨恨她，但是卻也相信她和克里斯蒂安做的事情是正確的，而且，這件事眞的是酷斃了！

「一般來說，分心術是最有用的。」塔莎繼續說。

她藍色的眼眸用力集中，我曾經在別的莫里族使用魔法的時候見過這種情形。她的手腕顫動著向前，一簇火焰擦過克里斯蒂安的臉頰，火焰沒有碰到他，但是從他顫抖的身體來看，我認爲火焰離他非常近，他甚至能夠感受到火焰的熱度。

「試試看。」塔莎說。

克里斯蒂安猶豫了一會兒，然後做出和塔莎剛剛一模一樣的動作。火焰竄了出來，但是大小沒有塔莎剛剛控制的那麼好，他也沒有像塔莎那樣，正中目標。火焰直直向塔莎的臉飛去，但是在碰到她之前，就在她身前分開，繞了過去，就像擊中了一張隱形的盾牌。塔莎用自己的魔法改變了火焰的方向！

「還不錯，除了你幾乎燒掉我的臉之外。」

就連我都不希望她的臉被燒毀，但是她的頭髮……我們即將見識到她沒有烏黑的鬢角還會有多漂亮。

她和克里斯蒂安練習了好一會兒，隨著時間的推移，克里斯蒂安證明了自己，但是顯然他要達到塔莎的程度，還有很長一段路要走。我的興趣隨著他們的繼續越來越濃，甚至開始思考這種魔法能夠帶來的所有可能性。

一直到塔莎說她必須離開了，練習才結束。克里斯蒂安嘆了口氣，他沒能在一個小時內掌握這種魔法，不滿明明白白地寫在他的臉上，這種爭強好勝的性格幾乎和我一樣。

「我還是認爲將他們整個燒死會更方便點。」他分辯道。

塔莎笑了笑，用手將頭髮重新綁緊了些。沒錯，沒有頭髮，她什麼都做不了，特別是我知道迪米特里有多麼喜歡長髮。

「方便是因爲它不需要注意力非常集中，這太容易了！如果你掌握這個，練習一段時間之後，你的魔法水準會整個提高一個層次，而且，正如我常說的，它自有自己的用途。」

我不想同意她的說法，但我對此無能爲力。

「如果你和守護者一起作戰的話，這點便會十分有用。」我激動地說，「特別是完全燒死一個血族需要消耗許多能量，如果按照這種方法，你只需要用這種快速的火球引開血族的注意力，因爲血族非常討厭火焰，而這段時間，就足夠守護者將銀樁刺進他們的心臟了。用這種方法，你可以和一大群血族作戰！」

塔莎微笑看著我。有些莫里族人，比如莉莎和艾德里安，笑起來的時候是不會露出牙齒的，但塔莎總是喜歡露出自己的牙齒，包括吸血的尖牙。

「完全正確！妳和我總有一天會一起追殺血族的。」她揶揄著說。

「我不這麼認爲。」我回答道。

這些話和字裡行間的意思並沒有什麼，但是我說話的語調，卻賦予了這句話特殊的含義，冷冰冰的，也不友好。

塔莎驚訝了一下，似乎不瞭解爲什麼我的態度轉變得這麼突然，但她只是聳聳肩，而莉莎的吃驚也透過心電感應傳給了我。

塔莎似乎並沒有覺得困擾，她和我們又聊了一會兒，並和克里斯蒂安約定晚餐的時候再見。莉莎在她、克里斯蒂安和我一起從螺旋樓梯走向大廳後面的時候，嚴厲地看了我一眼。

「那是爲什麼？」她問道。

「什麼爲什麼？」我無辜地反問。

「蘿絲。」她意有所指地說。當你的朋友知道你會讀心術的時候，裝無辜是很困難的一件事，我非常明白她說的是什麼。「妳對塔莎很不友好！」

「也不是特別不友好。」

「妳很無禮！」她一邊喊，一邊穿過一群差點將大廳掀翻的莫里族孩子。他們都裹在皮大衣裡，一個滿臉疲憊的莫里滑雪教練跟在他們後面。

我雙手插進屁股後面的口袋裡。「我只不過是脾氣有點暴躁，好嗎？我沒睡好。而且，我不像妳，不用隨時都裝得很有禮貌。」

最近常常發生這種事，我根本不知道自己在說什麼。莉莎瞪著我，內心的震驚更甚於受傷。克里斯蒂安則憤怒地看著我，幾乎想要回身打我。

這時，梅森的出現救了我，他不需要枴杖什麼的，但是走路的時候，還是有點一瘸一拐的，我拉住他的手。

克里斯蒂安將對我的火氣發到梅森身上。「你們那種自殺舉動終於報應在你身上了！」

梅森直勾勾地看著我。「聽說妳和艾德里安．伊瓦什科夫約會，是眞的嗎？」

「我……什麼!?」

「我聽說昨晚你們兩個一起喝酒。」

「妳眞的這麼做了？」莉莎吃驚地問。

我看了看他們每個人的表情。「不，當然沒有！我根本就不瞭解他。」

「但妳確實知道他。」梅森追問道。

「剛認識的。」

「他的名聲可不好！」莉莎警告我說。

「沒錯。」克里斯蒂安說，「他玩弄過許多女孩。」

我眞是不敢相信。「你們都怎麼了？我和他只不過聊了……呃……五分鐘！這還是因爲他擋住了我進屋的路。你們都是從哪裡聽到這些的？」馬上，我自己就將答案說了出來：「米婭？」

梅森點點頭，優雅的表情帶著些許尷尬。

「你是什麼時候見到她的？」我問。

「我剛才碰巧看見她，就這樣。」他對我說。

「你相信她？你知道她說的話有一半都是假的嗎？」

「對，但是謊話中總有一些眞相。妳確實和他講話了。」

「對，講話，僅此而已。」

我一直在愼重考慮到底要不要和梅森約會，所以他不相信我，我也無話可說。可是，之前在學院裡，他曾經幫我揭穿過米婭的謊言，我很奇怪他現在居然會相信這些！也許他的感覺眞的因爲我而變得越來越強烈，因爲嫉妒，他很容易就受到外界的左右。

奇怪的是，出來拯救我轉移話題的，居然是克里斯蒂安。「我想今天我們不會去滑雪了。」他指著梅森的腳踝，馬上換來忿忿不平的回應。

「怎麼？你認爲這就能阻止我去滑雪了？」梅森問道。

他的憤怒不見了，取而代之的，是急於證明自己的迫切，我們兩個都有這種需求。

莉莎和克里斯蒂安看著他，像是在看一個瘋子，但是我清楚，不管我們說什麼，都阻止不了他。

「你們想和我們一起去嗎？」我問莉莎和克里斯蒂安。

莉莎搖搖頭。「不去了，我們要去參加康塔斯家準備的午宴。」

克里斯蒂安有些不高興。「要去妳自己去！」

莉莎用手肘捅了他一下。「你也得去！請柬上寫著我要帶一名男伴，而且，這只是另一個大派對的熱身。」

「大派對是指什麼？」梅森問。

「普里西拉．沃達的超大晚宴。」克里斯蒂安嘆了口氣，他痛苦的表情讓我覺得好好笑。「女王最好的朋友。所有最有名望和權勢的皇族都會參加，我還必須要穿正裝。」

梅森對著我笑了一下，他先前的怒氣已經煙消雲散。「這麼說，滑雪聽起來是個更好的主意了，哈！沒有著裝限制。」

我們告別了他們兩個，走了出去。

梅森不能像昨天一樣滑雪跟在我身邊，他的行動不便，有些笨拙，不過，如果從整體考慮的話，他的表現還是可圈可點的。他的傷勢沒有我們預想的那麼嚴重，但滑起雪來還是小心翼翼的。

圓圓的滿月高高掛在天穹，灑下銀白色的月光。電燈卯足全力將燈光照映在地面，在這裡、在那裡、在陰影中，月光剛剛好能夠蓋過它的光芒。我希望能有充足的光線讓我看清群山眞實的面目，但是，那些山峰仍然在黑暗中半遮半掩。之前天還亮的時候，我忘記看一看了。

滑雪對我來說超級簡單，但我陪在梅森身邊，不偶爾嘲笑一下他因傷而慢呑呑的速度的話，我幾乎快要睡著了！不管是不是無聊，和朋友一起外出總是好的，運動能夠促進血液循環，讓我在寒冷的天氣裡暖和起來。

路燈照耀著雪地，將它變成浩瀚的銀白色海洋，雪花晶瑩剔透，微光點點。如果我轉回身，看向來時的路，視野裡將會出現許多星辰般的飛雪，它們在清澈凜冽的寒風中脈絡清晰、冰晶玉潔。

我們又在外面耗了將近一整天，但是這一次，我嚷嚷著要早些回去，假裝自己十分疲憊，這樣梅森可以好好休息一下。他雖然裝作滑得很輕鬆，但我敢打賭，他的腳踝一定很痛！

我和梅森緊挨著往大廳走去，嘲笑我們剛剛看見的事情，突然，我看見一團白色出現在我的視野裡，一個雪球擦過了梅森的臉頰。

我立刻警惕起來，猛地回頭望了望四周。小屋廣場上傳來歡呼聲和尖叫聲，再仔細一聽，是從用松果點綴的雪橇寄放處傳來的。

「太慢了！亞希弗德。」有人喊著，「愛情是不會付你薪水的。」

笑聲更大了，梅森最好的朋友，愛迪．卡斯托和其他幾個實習生從松樹後面探出頭來。

「我們還是會讓你加入的，如果你想加入我們隊伍的話。」愛迪說，「哪怕你躲避的時候像個女生。」

「隊伍？」我興奮地問。

在學院裡，打雪仗是被嚴令禁止的。學校的管理層不知爲什麼，總是害怕我們會在雪球裡摻上玻璃碴或者刮鬍刀片。但是首先，我更想知道他們怎麼會認爲我們能找到這種東西？

不是說打雪仗這種行爲本身很叛逆，而是在我最近循規蹈矩了這麼長時間以後，將東西扔在別人身上是我最近聽到的最好的主意。

我和梅森衝向其他人，這種被禁止的打鬥給了他新的力量，讓他忘記了腳上的疼痛，我們用難以置信的熱情投入到戰鬥中。

戰爭很快白熱化，兩邊都盡可能在躲避別人襲擊的空隙間找人加入到自己這方。我是個例外，只用噓聲和愚蠢的大聲辱罵爲戰勢煽風點火。當有人發現我這麼做，然後回罵之後，我們都笑了。

被扔了一身雪，我們兩個情緒高漲，再次重新向大廳走去，我知道，艾德里安的事已經是過去式了。

的確如此，我們剛一進門，梅森就看著我。「對不起！我……呃……之前對艾德里安的事情反應過度了。」

我握了握他的手。「沒關係，我知道米婭肯定編了一個非常動聽的故事。」

「對，但是就算妳和他在一起，也不代表我有權利……」

我看著他，驚訝地發現他平時的傲氣變成了害羞。「你沒有嗎？」

他唇邊溢出了一抹笑容。「我有嗎？」

我回了他一個笑容，湊上去吻了他。他的唇在冰冷的空氣中出奇的溫暖，這不像是旅行之前我和迪米特里的吻那麼山崩地裂，它非常甜蜜，也許這種友誼成分多一點的吻，日後會變成其他……至少，我是這麼認爲的。

「哇哦！」從梅森的表情來看，似乎他的整個世界都爲之動搖了。他眼睛睜得大大的，月光下，看起來是銀藍色的。

「你明白了？」我說道，「沒什麼可擔心的，不是艾德里安，也不是其他人。」

我們又吻在一起，比剛才的時間要長一些，一直吻到我們不得不說再見。

梅森明顯心情大好，而我直到躺在床上時，臉上還帶著微笑。

我目前還是不太肯定梅森和我是不是契合，不過，我們離這個目標已經很近了！

可是，我睡著以後，夢見的卻是艾德里安．伊瓦什科夫。

我和他再次站在火炬燈下，只不過這次是夏天，風和日麗，太陽高掛在天上，陽光普照，大地萬物都被鍍上了一層燦燦的金色。我從人類世界回來之後，就沒有見過這麼明媚的陽光，我們周圍群山環繞，不管是高山還是低谷都披著青蔥的綠，一派生機勃勃，四處都有鳥兒的鳴唱。

艾德里安依靠在火炬燈的欄杆上，看著遠處，直到他發現我站在這裡，才露出一副恍然大悟的樣子。

「眞沒想到能在這裡看見妳。」他笑道，「我說對了，妳打扮過後很令人銷魂！」

我本能地摸了下我眼睛周圍。

「已經沒有了。」他說。

雖然不能親眼看見，我多少相信他說的是眞的。「你沒有吸煙？」

「那是個惡習。」他說完，向我點點頭。「妳害怕嗎？妳穿了很多防護服。」

我皺了皺眉，低下頭看看自己。剛才，我沒有注意到我的穿著，我穿了一條帶刺繡的牛仔褲，這條褲子我只見過一次，而且根本買不起！我的T恤非常短，露出半截肚皮，肚臍上還戴了一個臍環。

我一直想在肚皮上穿一個孔，但是沒有支付昂貴費用的能力，現在我戴著的，是一個非常漂亮、帶有長穗的小銀環，長穗的末端掛著媽媽送給我的那個奇怪的眼睛吊墜，而莉莎送的手鍊也繞在我的手腕上。

我抬頭看了看艾德里安，注視著陽光照耀下的他那頭棕髮。這時，我看清他的眼睛是深綠色的，這種深綠和莉莎的那種翠綠正好相反。

突然間，我想到了很重要的事。

「這些陽光不會傷害你？」

他懶懶地聳了聳肩。「不會，這是我的夢。」

「不對，這是我的夢！」

「妳確定？」他微笑著反問我。

我有些迷糊了。「我……我不知道。」

他微微頷首，一會兒過後，他的笑容褪去了，這是我看見他之後，他第一次露出這麼嚴肅的表情。「爲什麼妳的周圍總是圍著一圈黑霧？」

我皺了皺眉。「什麼？」

「妳的周圍都是黑霧！」他用銳利的目光打量著我，但不是那種檢查式的打量。「我從沒見過像妳這樣的人，到處都是陰影，我可能永遠也猜不透，就連妳站在這裡，那些黑霧也一直跟隨著妳。」

我看了看自己的雙手，上面什麼都沒有。「我是影吻者……」

「那是什麼意思？」

「我死過一次，」除了莉莎和維克多．達什科夫，我從來沒有對任何人提起過這件事，但這是在夢裡，沒有關係的。「後來又活了。」

他露出一副明瞭的表情。「啊！有意思……」

有人在用力搖我，是莉莎，我醒了過來，她的感受立刻透過心電感應，強烈地傳遞過來，我潛入她的意識，發現自己正在看著自己，「奇怪」已經不足以描述這一幕了。

我回到自己的意識裡，試著擺脫她帶給我的恐懼和警惕。

「怎麼了？」

「又發生一起血族襲擊事件！」

12

我飛快地從床上爬起來，整個大廳此時已經謠言滿天飛，人群三三兩兩地擠作一堆，分散在大廳裡。所有的家庭都在尋找自己的孩子，有的人驚恐地竊竊私語，有的人聲音大得唯恐別人聽不見。

我攔住了幾個人，想打聽到直接的消息，但是每個人的故事版本都不盡相同，有的人腳步連停都沒停，什麼都不想說。人們步履匆匆，要嘛在尋找自己的愛人，要嘛準備收拾行李離開滑雪場，去找另外一個也許比這裡更加安全的地方。

我終於厭煩了聽人們講述的不同故事，雖然不太情願，也只能去找那兩個人告訴我事情的眞相——我媽媽，或者迪米特里。但是到底見誰，還是扔硬幣來決定吧！

我現在其實並不害怕見到他們中的任何一個，但思來想去，最後還是決定去找我媽媽，因爲在她那裡碰見塔莎的機率很小。

我媽媽的房門敞開著，我和莉莎走了進去。這裡就像一個臨時成立的指揮總部，有許多守護者分列左右，也有的進進出出，還有的在討論戰略。其中幾個奇怪地看著我們，但是沒有攔下我們，也沒有對我們進行詢問。

我和莉莎坐在一張小沙發上，聽著我媽媽與別人交談。她與一群守護者站在一起，迪米特里也在其中。想要避開他也太難了吧！他立刻就發現了我，我不得不避開他的目光，不想將自己現在糟糕的情緒傳染給他。

我和莉莎很快知道了許多細節——有八名莫里族連同他們的守護者一起被殺，三名莫里族失蹤，有可能死了，也有可能已經變成了血族。襲擊並不是發生在這附近，但距離這裡並不算很遠，在北加利福尼亞的某個地方，人們因此而惶恐不已。

我很快就明白這次襲擊爲什麼這麼令人矚目。

「這次血族的人數比上次還要多！」我媽媽說。

「還多!?」其中一名守護者驚呼道。「上次的規模就已經是聞所未聞了，我無法相信居然有九名血族有組織地一起出動，而妳還要我相信他們組織了更多的血族加入行動？」

「沒錯。」我媽媽飛快地說。

「有人類出現的跡象嗎？」另外一個人問道。

我媽媽猶豫了一下，說：「是的。結界遭到了更大的破壞，這次襲擊的所有跡象都……和巴蒂卡家的一模一樣！」

她的聲音非常嚴厲，而且還流露出一絲疲憊，不過不是身體上的疲憊，而是心靈上的。緊張和難過被掩藏在討論事物的話語之下。

我一直以爲她是冷血的殺人機器，不過這件事很明顯令她難過。討論這種事是很困難的，也是違背自己意願的，可與此同時，她又義無反顧地承擔了下來，因爲，這是她的職責。

我突然一陣哽咽，但很快地被我強壓了下去。

人類、和巴蒂卡家一模一樣的襲擊，從上次大屠殺開始，我們就一直不停地分析，這種大規模的血族隊伍和人類聯合起來的行動有多麼古怪。

我們已經大略討論過，如果這種情況再次發生，該怎麼處置，但沒有人眞的嚴肅地認爲這群巴蒂卡殺手會再次行動，這只不過是一次意外，也許剛巧有一群血族湊在一起，衝動地打算一起幹一票。

但是，依現在的情況來看，這可不是一群血族的烏合之眾，他們是有目的、有組織地利用人類，又一次發動了襲擊，我們不能再信賴魔法結成的結界，我們甚至不能再信賴萬能的陽光。人類可以在白天活動，進行偵查和破壞，因此，陽光底下也不再是絕對的安全。

我記起在巴蒂卡家，我曾經對迪米特里說過：「這將改變所有的事，對嗎？」

我媽媽翻了翻手中剪貼板上的資料。「還沒有法醫得出來的詳細報告，但是，同樣數量的血族是無法完成這樣規模的屠殺的。多羅茨多夫家的人，無論是家庭成員還是下人，都無一倖免。面對五名守護者，七名血族還是要費一番力氣，哪怕是暫時的，而這足以讓某些人順利逃脫。我們估計，血族的數量在九到十名。」

「珍妮說得對。」迪米特里說，「如果你看過現場……那裡太大了！七名血族不足以覆蓋整個地區。」

多羅茨多夫是十二個皇族之一，他們家族龐大、人丁興旺，不像莉莎的家族處於滅亡的邊緣。他們的家庭成員遍佈各處，可另一方面，對這種家族的襲擊便顯得更加恐怖。

突然間，我腦中靈光一閃。我記得……我記得多羅茨多夫家裡有我認識的人！

雖然我分了一部分的心思一直在想這個人到底是誰，但我仍然「全神貫注」地看著我媽媽。

我曾經聽她講過自己的故事，我曾經見到並且感受到她戰鬥時的樣子，但是說眞的，我從來沒有見過她處理現實生活中的危機。她曾經給我示範過如何努力控制自己，現在，我明白這有多麼必要了。

這種情況會引起恐慌，甚至連守護者也不例外，我能感受到那些提高了嗓門說話的人多麼想要進行激烈的反擊。我媽媽必須要保持理性，提醒他們集中注意力，全盤接受現實。她的沉著令所有人都冷靜下來，她強大的氣場激勵著他們，我意識到，這才是一個領袖眞正的魅力！

迪米特里和她一樣內斂，但是他卻聽從她的命令。我不得不時時提醒自己，他比大多數守護者的年齡都要小。他們又深入地討論了這次襲擊，比如多羅茨多夫家在襲擊發生時，正在舉辦耶誕節狂歡舞會的情形等等。

「先是巴蒂卡，現在又是多羅茨多夫……」一個守護者喃喃地說，「他們在追殺皇室！」

「他們追殺的是莫里族。」迪米特里冷靜地說，「皇室、平民，都沒關係。」

皇室？平民？我突然知道爲什麼多羅茨多夫這個名字很耳熟了。我的本能驅使我馬上就想跳起來發問，但是我知道現在不是時候。這是眞正的公事，沒時間理會無禮的要求，我想要和媽媽、迪米特里一樣強大，所以我捺住性子，一直等到討論結束。

這群人開始分頭離去，我從沙發上站起來，強迫自己向我媽媽走去。

「蘿絲!?」她語帶驚訝。和在斯坦的課堂上一樣，她根本就沒注意到我的存在。「妳在這裡做什麼？」

這個問題眞是愚蠢，我不想回答。她以爲我在這裡幹什麼？這是莫里族的一件大事！

我指了指她的剪貼板。「還有誰被殺了？」

她皺眉表示不耐煩。「多羅茨多夫。」

「還有誰？」

「蘿絲，我們沒有時間……」

「他們有下人，對不對？迪米特里說也有平民，那些人是誰？」

再一次，我看出她的傷心，她要爲這些遇難者負責。

「我沒有全部的罹難者名單。」她翻了幾頁資料，指著剪貼板給我看。「都在這裡。」

我從頭到尾掃了一眼名單，一顆心猛地一沉。

「好。」我對她說，「多謝！」

我和莉莎走出去，不再打擾他們。眞希望我能夠幫上忙，但是守護者自有一套工作流程和效率，他們不需要實習生來當絆腳石。

「那是什麼？」我們走回大廳的時候，莉莎問道。

「多羅茨多夫家下人的名單。」我回答說，「米婭的媽媽在他們家工作……」

莉莎焦急地問。「然後呢？」

我嘆了口氣。「她的名字在名單上。」

「哦！上帝！」莉莎不由得停住了腳步，她盯著前面，眼中噙滿了淚水。「哦！上帝！」她又說了一遍。

我走到她面前，雙手扶著她的肩膀，發現她在顫抖。

「沒事了。」我說。她的恐懼如潮水般向我湧來，但這種恐懼也有限。「事情會好起來的。」

「妳也聽見他們是怎麼說的了。」莉莎說，「一大群有組織的血族正在襲擊我們！具體有多少？他們會找到這裡來嗎？」

「不會，」我平靜地說。當然了，我這麼說並沒有依據，「我們這裡很安全。」

「可憐的米婭……」

對此，我眞是無話可說。我認爲米婭絕對是個賤人，但是我不希望這件事發生在任何人身上，哪怕是我的頭號敵人。

之後的時間，我不敢離開莉莎半步。我知道大廳裡不會有血族出沒，但是我保護本能的觸角伸得長長的，畢竟守護者保護莫里族是天經地義的事。像以往一樣，我也擔心她的情緒會再次變得焦慮、沮喪，我盡自己最大努力來幫助她消化這些情緒。

其他的守護者被重新分配，他們不再對莫里進行貼身保護，而是重點防護整個大廳，並且跟留在事發現場的守護者不斷溝通。

一天之內，這個恐怖的消息已經無人不知，同時，人們也開始推測這群血族的下一個目標。當然，這些消息是不會通知實習生的。

許多皇族和位高權重的莫里族聚集在大廳裡，決定當天晚上召開一個討論剛剛發生的慘案和下一步應該怎麼做的會議。但是，這裡產生的決定並不是正式的，莫里族在別處有女王和政府議會來決定這種事，這些世人皆知，不過，在這裡產生的意見可以作爲一個參考，我們未來的安全性，就依賴這次會議討論的結果了！

會議在大廳裡一個巨大的宴會廳舉行，廳裡有一個講台和許多座位。除了空氣中瀰漫的嚴肅和緊張，這個房間根本就不適合開這種討論有關屠殺和防禦的會議。地毯是用天鵝絨織成的，上面用銀色和黑色繪製出華麗的花卉圖案。黑色的實木椅子光澤閃爍，高高的椅背很明顯是爲迷人的晚宴準備的。牆上掛著長壽的莫里皇室成員的畫像，我看見一幅女王畫像，她銀白色的頭髮和莉莎的很像，身上穿著傳統的禮服，對我來說，禮服上的蕾絲太多了。

一個我不認識的人負責站在講台上主持這個會議，大部分皇室成員都坐在前排，其他人，包括學生在內，則隨便落坐。克里斯蒂安和梅森在人群中發現了我和莉莎，我們準備在後排坐下來的時候，莉莎突然搖了搖頭。

「我要去坐前面。」

我們三個都瞪著她。這太突然了！我甚至沒來得及潛入她的意識。

「看！」莉莎指著前面，「所有的皇室都坐在那裡，以家族的形式。」

她說的是事實，擁有同一血統的人都緊捱在一起，巴蒂卡、伊瓦什科夫、澤克羅斯……等等。塔莎也坐在那裡，不過只有她一個人。

「我必須要坐到那裡去。」莉莎說。

「沒有人要妳這麼做。」我對她說。

「我必須要代表德拉格米爾家族。」

克里斯蒂安哼了一聲。「那不過是皇室的狗屁規矩！」

莉莎的臉沉了下來。「我必須坐在那裡！」

我放鬆自己，接收到莉莎的感覺，證實了自己的想法。

她一整天都很安靜，其實心裡十分害怕，特別是我們得知了米婭媽媽的事情之後。她雖然還在害怕，但是，堅強的信心和意志讓她克服了恐懼。她意識到她是王室的一員，這和她害怕成群的莫里來攻擊這裡的想法一樣強烈，她必須盡到自己的職責。

「這是妳應該做的。」我溫柔地說，同樣的，我還很喜歡她違抗克里斯蒂安這個舉動。

莉莎對上我的目光，笑了，她知道我感應到了什麼。

過了一會兒，她轉向克里斯蒂安。「你也應該坐到你姑姑身邊。」

克里斯蒂安張大嘴想要反駁。如果不是現在的情形太過嚴肅，看見莉莎命令他，是件很有意思的事。

他總是固執得要命，難以接觸，那些想要強迫他做什麼事的人從來沒有成功過。他苦著臉，閉上了嘴。

「好吧！」他拉起莉莎的手，兩個人朝前排走去。

我和梅森坐了下來。在會議開始之前，迪米特里坐到了我的另一邊，他頭髮綁了起來，垂在腦後，坐下來時，身上的皮大衣也垂了下來。我驚訝地看了他一眼，什麼都沒有說。

情況很詭異，我夾在我的兩個情人中間！

這裡的守護者並不多，大部分都跑去案發現場了。

會議不久就開始了，所有人都想發表自己的意見，認為莫里族應該怎麼做才是最安全的，但事實上，到最後，只剩下兩大派的意見。

「答案就在我們身邊！」一個皇室的人說，他被允許站起來發言。他站在椅子旁邊，看著整個房間裡的人。「就在這裡，像這個大廳這樣，有許多非常容易守衛的地方，再看看我們有多麼喜歡這裡，大人和孩子都一樣。爲什麼我們不將這種情況保持下去呢？」

「我們已經這麼做了。」有人大聲反駁。

皇族的人大手一揮。「有許多家族都住在不同的地方，沒有將資源整合在一起，比如他們的守護者、他們的魔法。如果我們能夠仿照現在的模式……」他攤開雙手，「我們從此就不必再擔心血族了！」

「莫里族也就永遠沒有辦法接觸到外面的世界了……」我小聲說道。「好吧！直到人類發現野外有一座神祕的吸血鬼城市爲止，那時，我們就會有許多接觸的機會了！」

其他關於如何保證莫里族安全的看法，基本上沒有邏輯可言，也沒有特別有見解的，至少我是這麼認爲的。

「問題很簡單，就是我們沒有足夠多的守護者。」這個意見出自澤爾斯基家一個女性成員之口。「所以，解決的辦法也很簡單，就去找更多的守護者。多羅茨多夫家只有五名守護者，這遠遠不夠！十二名莫里族居然只有六名守護者在保護，這令人無法解釋，也難怪這種事總是一而再地發生。」

「妳打算從哪裡找來那麼多的守護者?」一個贊同莫里族都住在一起的男人問。「某種意義上來講,他們屬於稀有資源。」

她指著我和其他幾個實習生說:「我們本來有很多。我見過他們的訓練,他們很厲害,爲什麼非要等到他們長到十八歲?如果我們調整訓練課程,將重點放在更多的實踐訓練,而不是理論知識的話,他們長到十六歲就可以成爲新晉的守護者了!」

迪米特里從喉頭發出低低的聲音,看起來很不高興。他前傾著身子,將手肘放在膝蓋上,用手撐著下巴,眼睛若有所思地瞇了起來。

「不止這些,我們還有大量能夠成爲守護者的資源被浪費了!那些拜爾族的女人都去哪裡了?我們兩個族群是唇亡齒寒的關係,莫里族盡責地讓他們的種族得以延續,爲什麼這些女人不恪守她們的職責?爲什麼她們不在這裡?」

一聲長長的、嬌媚的笑聲成了對她問題的回答,所有人的目光都移向塔莎·歐澤拉。不像其他那些盛裝出席的皇室,她的穿著簡單隨便——下半身是平時常穿的那條牛仔褲,白色的背心露出一點點肚臍,外面藍色的蕾絲針織開衫垂到膝蓋。

她詢問地看著主持人,問道:「可以嗎?」

主持人點點頭。澤爾斯基家的女人是坐著發言的,塔莎卻站了起來。她不像其他的發言者,一直走到了講台上,這樣她可以清楚地看見每個人。

她光滑的黑髮束成馬尾垂在身後，將她臉上的疤痕清清楚楚地露出來，我本以爲她會用頭髮將它蓋住的。她神情堅毅、蔑視一切，眞是漂亮極了！

「莫妮卡，那些女人不在這裡，是因爲她們忙著照顧自己的孩子。妳知道，就是那些妳希望從他們會走路的那一刻起，就將他們送上前線的孩子。也請妳不要侮辱我們的智商，擺出一副莫里族爲了幫助拜爾族延續香火而大義凜然的姿態，也許在妳的家族確實是這樣，但是，對大部分人來說，和她們上床是爲了尋歡作樂，莫里族對拜爾族這麼做，並不是多麼偉大的自我犧牲！」

迪米特里坐直了起來，他不再生氣，也許是因爲聽到他的新任女友提到上床，所以很激動。我妒火中燒，希望自己流露出的憤怒，在旁人眼裡看來是因爲血族，而不是正對著我們演講的那個女人。

跳過迪米特里，我看見米婭自己一個人坐在這排的最末端，我沒想到她也會在這裡。她看起來意志消沉、眼睛通紅，臉色比以前更蒼白。我奇怪地感到心痛，這是我從沒想到過的事情。

「我們等到這些守護者滿十八歲，是因爲這樣在他們不得不在威脅之中度過餘生之前，還能夠享受生命中本該擁有的美好。他們需要這幾年，不僅僅是爲了鍛煉體魄，還因爲他們要發展心智。在他們準備好之前就將他們推上戰場，只是在爲血族提供食物！」

有幾個人因爲塔莎強硬的措辭變得憤怒不已，但是，她成功地引起了眾人的注意。

「如果妳讓拜爾族的女性都變成守護者，同樣也是在爲血族提供食物。妳不能強迫他們去過一種妳自己都不喜歡的生活。妳的這個增加更多守護者的計畫，是建立在將孩子們扔出去、不管他們的死活的基礎之上，這樣妳也許可以遠離敵人一小步，但僅僅是可能，如果不是我還聽了他的計畫，我不得不說，妳的計畫是我聽到過最愚蠢的計畫！」

她用手指著發言說想要所有莫里族都住在一起的那位，他的臉上浮現出尷尬的神色。

「那就給我們指一條明路啊！塔莎。」那個男人說道，「告訴我們妳覺得應該怎麼做，看起來妳有很多對付血族的經驗。」

塔莎微微一笑，沒有立刻對侮辱她的人進行反擊。「我覺得應該怎麼做？」她走到講台前面，雖然在回答他的問題，眼睛卻看著我們。「我認爲我們應該停止討論那些依賴別人保護的計畫。妳認爲守護者太少了？那不是問題，問題在於到底有多少血族？我們讓他們不斷壯大，是因爲我們除了做這種愚蠢的討論，其他的什麼都不做。我們逃避現實，躲在守護者的保護之下，讓血族大行其道，這是我們的錯誤，我們才是導致多羅茨多夫家被屠殺的人！

你們想組一個軍隊嗎？好，這就開始。拜爾族不是唯一能夠參加戰鬥的人，莫妮卡，問題不是爲什麼拜爾族的女性不參加戰鬥，問題是，爲什麼我們不參加戰鬥？」塔莎近乎於嘶喊，過度用力使得她臉頰通紅。她的眼中閃耀著激情，臉上閃動著光輝，就連她的疤痕都在表達戰爭的呼喚。

莉莎崇拜地看著塔莎，被她的話語深深地打動。梅森看起來像中了催眠術。迪米特里也好像受到感染，看向了米婭。

米婭不再縮在椅子裡，她坐得直直的，像一根木棍，眼睛睜得不能再大，她盯著塔莎，好像塔莎解答了她生命中全部的疑惑。

莫妮卡・澤爾斯基對此不屑一顧，她用力盯著塔莎。「妳不是在建議血族來襲的時候，讓莫里族和守護者一起戰鬥吧？」

塔莎漠然地看著她。「不，我是在建議血族來襲之前，莫里族和守護者一起戰鬥。」

一個二十出頭的小夥子站了起來，我敢用現金下賭注，他一定是個莫里族人，因爲，沒有人像他那樣擁有那麼美麗的金髮！他脫下原本繫在腰間的一件非常昂貴的毛衣，將它搭在椅背上。

「哦？」他用嘲弄的口吻，語無倫次地說：「那麼，妳會發給我們木棍和銀樁，將我們送上戰場囉？」

塔莎聳聳肩。「如果有必要的話，安德魯，我會的。」她露出一抹狡猾的笑容。「但是，我們自己也有可以使用的武器，一個守護者無法使用的武器。」

安德魯臉上的表情明明白白顯示出他認爲塔莎的話有多麼瘋狂，他翻了翻白眼。「眞的？比如說呢？」

「比如這個！」塔莎的微笑變成燦爛的笑容，她揮了揮手，點燃了剛剛安德魯放在椅背上的毛衣。

安德魯驚慌失措地大叫起來，手忙腳亂地將衣服扔到地上，踩滅了火苗。

屋子裡只剩下不斷的吸氣聲，然後……混亂爆發了！

13

人們都站起來大聲叫嚷，所有人都想讓別人聽到自己說的話，他們嚷來嚷去，大部分人表達的都是同一個意思：塔莎這麼做是大錯特錯！

他們對她嚷嚷，說她瘋了；他們對她嚷嚷，說如果讓莫里族和拜爾族聯手對付血族，那麼她就等於將這兩個種族同時送上了絞架。甚至還有人大膽推測，認爲塔莎的想法是從很早以前就謀畫好的，可能是她和血族共同策畫的陰謀。

迪米特里站起來，厭惡地看著面前的混亂。「你們該走了，留在這裡也沒有什麼幫助。」

我和梅森站了起來，但，就在我準備跟著迪米特里往外走的時候，他朝我搖了搖頭。

「妳先走。」他說，「我還要留下來確定點別的事。」

我看了一眼那群站起來吵吵嚷嚷的人，聳了聳肩。「祝你好運！」

眞不敢相信，我已經好幾天沒有跟迪米特里說過話了！我跟著他走出大廳，有一種恍如隔世的感覺。和梅森在一起的這幾天很有意思，但是再次見到迪米特里，我又覺得梅森就像是個小孩。

我重新記起了對塔莎的顧慮，在我能組織之前，蠢話又一次從我嘴裡溜了出來：「你要留下來保護塔莎嗎？在那夥人吃了她之前。」

迪米特里揚起了一條眉。「她可以保護自己。」

「對，因爲她是大師級的空手道魔法使用者，我都看見了。我只是不明白，既然你就快要成爲她的守護者……」

「妳是從哪裡聽來這件事的？」

「我自有消息來源。」告訴他是我從我媽媽那兒聽來的，好像顯得有點遜。「你已經同意了，是不是？我是說，這聽起來是個不錯的主意，她似乎能給你提供額外的福利……」

他冷靜地看著我，說道：「我和她之間不管發生什麼事，都與妳無關！」

「我和她之間」這幾個字聽起來是那麼刺耳，就好像他和塔莎已經是一夥兒的了。

正如往常一樣，我一旦受了傷，就會控制不住自己的脾氣和態度。「好吧！我相信你們兩個在一起會很幸福，她正好也是你喜歡的類型，我知道你特別喜歡和你年齡差很多的人，我是說，她多大？比你大六歲嗎？還是七歲？我可是比你小了整整七歲呢！」

「沒錯。」他沉默了好一會兒之後才說，「妳是很小，這種話再繼續說下去，哪怕只是再多說一個字，都能證明妳確實太小了！」

哇哦！我的下巴差點掉在地上，就連我媽媽揍我那一拳，都沒有讓我這麼傷心過。

我的心漏跳了一拍，我以爲我剛剛在他的眼中看見了後悔，後悔他對我說了這麼過分的話，但是那眼神轉瞬即逝，他的表情比剛剛更爲嚴厲。

「小拜爾。」突然，一個聲音在旁邊響起。

我慢慢地轉過身，發現艾德里安．伊瓦什科夫站在那裡，他微笑地看了看我，又朝迪米特里點點頭，算是打過了招呼。

我猜自己的臉變得通紅。不知道我們的話他聽去了多少？

艾德里安隨隨便便舉起手，「我不想打擾你們，只不過希望妳有時間的話，能跟妳談談。」

我想告訴艾德里安，現在我沒有時間和他玩他自以爲已經開始的遊戲，但是迪米特里的話言猶在耳。他看著艾德里安，一副不贊同的表情，我猜他和其他人一樣，都聽說過艾德里安的壞名聲。

很好！我突然希望讓他嘗嘗嫉妒的滋味，我想讓他也感受一下，我最近有多麼傷心！

我嚥下痛苦，露出不輕易顯露的迷死人的笑容，向艾德里安走過去，挽住了他的胳膊。

「我現在就有時間。」我向迪米特里點了點頭，準備跟艾德里安離去。在經過迪米特里身邊時，我對他說：「一會兒見，貝里科夫守護者。」

迪米特里黑色的眼睛冷冷地盯著我們，我轉過身，沒有再回頭。

「對老男人不感興趣？哈！」只剩我們兩個的時候，艾德里安這麼說道。

「你不用幻想了，」我說。「很明顯，我令人驚嘆的美貌已經擄獲了你的心。」

他盡可能發出最友好的笑聲。「完全可能！」

我打算抽身，他卻伸出手攬住了我的腰。「不！妳想和我玩遊戲，現在我就要妳見識見識。」

我翻了個白眼，讓他的胳膊停在我的腰上。我聞到他身上的酒味和萬年長存的香煙味，很想知道他現在是不是眞的醉了。我有種感覺，他眞的喝醉的時候和清醒的時候，可能幾乎沒什麼分別！

「你想要什麼？」我問道。

他仔細地看了我一會兒。「我希望妳帶著瓦西莉莎來找我，然後和我一起走，我們在一起會很好玩的！妳可能還需要一件泳衣，除非妳願意光著身子。」

「什麼!?許多莫里族和拜爾族剛剛才被殘殺，你卻想去游泳？」

「不只是游泳。」他耐心地解釋，「另外，正因爲有屠殺，妳才更應該這麼做。」

在發出抗議之前，我看見莉莎、梅森和克里斯蒂安從拐角處走過來，愛迪·卡斯托也和他們在一起。這並不奇怪，奇怪的是，米婭竟然也跟他們在一起！他們本來相談甚歡，但是在見到我之後，卻都安靜了下來。

「妳在這？」莉莎一臉疑惑地看著我。

我想起艾德里安的手還摟著我，於是掙脫了出來。「嗨！夥伴們。」我說。

這一刻，我們都覺得十分尷尬，我非常確定我聽見艾德里安輕笑出聲。

我瞪了他一眼，轉頭看向我的朋友們。「艾德里安邀請我們一起去游泳。」

他們都驚訝地望著我，梅森的臉色沉了下來，但是他和其他人一樣，什麼都沒說，我突然覺得呼吸有點困難。

艾德里安不失時機地接過話，替我邀請他們。看他隨和的態度，我不認爲會有什麼陰謀。

我們換上了泳衣，跟著艾德里安走到了大廳最遠處的一扇門前。門後是一道通往下面的螺旋樓梯，看不到盡頭。我們繞了一圈又一圈，我幾乎被轉暈了。牆上安著電燈，我們越往下走，粉刷的牆壁逐漸被石牆所取代。

當我們終於到達目的地之後，發現艾德里安說的是實話，不止是游泳，這裡是滑雪場特別開闢的一個溫泉區，只供有爵位的莫里族使用，如果是這樣，我猜那些待在這裡的莫里皇室，很有可能是艾德里安的朋友，約有三十個左右，差不多都是艾德里安那個年紀，有的更大一些，他們都是含著金湯匙出生的人。

也許這裡原來是個石洞，後來建成了滑雪場，而這些延伸出來的資源，就都被歸爲滑雪場所有了。黑色的石牆和天花板被打磨得晶亮，和滑雪場其他部分一樣非常精美。沿牆擺放著許多毛巾，還有擺滿了美食的桌子。

浴池像是在屋子中整塊挖出來的，旁邊用石頭砌成了池沿，池子裡滿是熱氣騰騰的泉水，這些水都是從地下冒出來的。周圍霧氣裊裊，空氣中還飄散著令人暈眩的礦物質味道，參加狂歡的人們的笑聲和飛濺的水聲，充斥在耳畔。

「爲什麼帶著米婭？」我小聲地問著莉莎。我們到處逛著，想找一個人不是很多的浴池。

「我們準備走的時候，她還在和梅森講話。」莉莎說，她也將聲音壓得低低的。「而且，如果……我不知道該怎麼說……丟下她……」

就算是我也會同意這種說法，米婭的臉上明白地寫著「悲傷」二字，不管梅森對她說了些什麼，至少能夠分散她一些注意力。

「我以爲妳不認識艾德里安。」莉莎又接著說。她的聲音和心電感應都表示她不贊同這件事。

我們終於找到了一個大池子，位置稍微偏僻了點。一對小情侶在池子的另外一頭，不過剩下的地方足夠我們幾個泡了，要忽略那對情侶很容易。

我用腳試了試水溫，立刻縮了回來。

「我不認識。」我對莉莎說，小心翼翼地將腳一點一點放進水裡，然後慢慢地泡了進去。當水淹沒我的腹部時，我做了個鬼臉。

「妳肯定認識他一陣子了，否則，他不會邀請妳參加他的派對。」

「妳看見他和我們在一起了嗎？」

莉莎順著我的目光，看見艾德里安站在屋子的另一邊，和一群穿著比基尼的年輕女孩在一起。其中一個穿著的名牌泳衣，我曾經在時尚雜誌的封面看過。

莉莎知道我和艾德里安沒有什麼瓜葛，總算放心了。

我們所有人都完全泡在水裡，水溫滾燙，我覺得自己似乎坐在一個湯鍋裡。

「你們在說什麼？」我打斷了其他人的談話，這比我自己聽半天然後才弄明白要簡單多了。

「那個會議。」梅森興奮地說。很明顯，他忘記剛才看見我和艾德里安在一起的事了。

克里斯蒂安倚在池子邊一個小架子上，莉莎則蜷起身子待在他身邊，克里斯蒂安伸出胳膊摟著她，舒服地將背靠在池子的邊緣。

「妳的男朋友想要率領一支軍隊對抗血族。」他對我說。我敢打賭，他這麼說是故意要惹火我。

費力去糾正「男朋友」這個稱呼，不太值得。我用疑問的目光看著梅森。

「嘿！提議的人可是你的姑姑。」梅森提醒克里斯蒂安。

「她只不過是說，我們應該在血族再次找到我們，進行襲擊之前，先阻止他們。」克里斯蒂安反駁說，「她也不贊成實習生去作戰，那是莫妮卡．澤爾斯基。」

一個女服務生托著一盤粉色的飲料走了過來，這些優雅的長腳水晶杯上頭有甜橙裝飾。

我突然有一種強烈的直覺——這是含有酒精的飲料！我想知道是誰這麼大膽將它們帶進派對，不過，那些人是不會在自己臉上寫字的。

我平時喝的，大部分都是廉價的啤酒，於是拿了一杯，然後轉身看著梅森。

「你認為這是個好主意？」我問道，然後小心翼翼地啜了一小口飲料。

作為一個還處於受訓期間的守護者，我認為自己應該隨時保持警惕，但是今晚我再次任性了一回。

這飲料嘗起來像是雞尾酒，裡面放了葡萄汁，還有甜甜的東西，可能是草莓汁。我還是認為這裡面含有酒精，不過沒有烈到能讓我喝完了就睡覺。

另一個女服務生托著一盤食物走了過來，我看了一下，不知道那都是些什麼？看起來好像有裹了起司的蘑菇，還有夾了肉或香腸的小圓餡餅一類的東西。作為一個無肉不歡的人，我拿了一個，認為它的味道應該還不壞。

「這是鵝肝。」克里斯蒂安說，他臉上的笑容我很不喜歡。

我謹慎地看著他。「那是什麼？」

「妳不知道嗎？」他的語氣充滿了嘲諷，這是他這輩子第一次像個真正的皇室一樣，向我們這些下屬彰顯他菁英的身分，「嘗一嘗，妳就明白了。」

莉莎有些生氣地嘆了口氣。「就是鵝的肝臟。」

我猛地縮回了手，女服務生繼續前往別的地方，克里斯蒂安大笑起來，我瞪著他。

與此同時，梅森仍然思考著我的問題——實習生在沒有畢業之前就參加戰鬥，到底是不是個好主意？

「我們還能做些什麼呢？」他忿忿不平地說。「妳在做什麼？妳每天早上都和貝里科夫跑步，這對妳有什麼用?對莫里族有什麼用?」

對我有什麼用?那能讓我的心怦怦直跳、讓我的腦子裡充滿不該有的想法。

「我們還沒有準備好。」我堅持說。

「我們只差六個月就畢業了。」愛迪吹著口哨說。

梅森點頭表示同意。「沒錯!六個月我們還能學到多少?」

「很多!」我回答,腦子裡想著我從迪米特里魔鬼式的訓練中學到多少。我喝光了杯子裡的飲料,繼續道:「而且,事情會發展到什麼程度?如果說我們可以提前六個月畢業,然後被分配到前線,下一步呢?」

梅森聳聳肩。「我不害怕打仗,我大學二年級的時候就能幹掉血族了!」

「對,」我冷冷地說,「就像你能滑過那些雪坡一樣。」

梅森的臉本來已經因爲溫泉而紅咚咚的,聽了我的話,瞬間變得更紅了。話一出口,我立刻就後悔了,特別是此時克里斯蒂安還開始大笑。

「眞沒想到我能活到和妳意見一致的這一天,蘿絲,我確實同意妳的說法。」

那個端著雞尾酒的女服務生又走了過來,我和克里斯蒂安各拿了一杯新的飲料,然後,我接著說:「莫里族必須和我們一起戰鬥,這是爲了保護他們自己。」

「用魔法嗎?」米婭突然開口。這是她跟我們一起到這裡之後第一次說話,不過,沒有人回答她。

梅森和愛迪沒有回答，是因爲他們對用魔法戰鬥的事一無所知；莉莎、克里斯蒂安和我雖然知道得一清二楚，可卻必須裝作我們什麼都不知道。

米婭的眼中充滿可笑的希望，我能想像她這一天是怎麼過的。她一早醒來，就聽見自己媽媽的死訊，然後花了一個小時又一個小時，聽人們進行政治辯論、制定戰鬥策略。事實上，她能坐在這裡，已經是個奇蹟了！我認爲那些愛自己媽媽的人，是不會像她這樣的。

看見沒有人想要回答她的問題，我只好接道：「我想是這樣的，不過……我也不是很清楚。」

我喝完了剩下的飲料，避開她的眼神，希望有人能接過話題，但是沒人這麼做。米婭很失望，當梅森重新開始對血族的爭論時，她也沒再多說什麼。

我喝完了第三杯飲料，盡可能地讓自己浸泡在池水中。這杯飲料和其他的不太一樣，它看起來和巧克力差不多，上面還澆了一圈奶油。我才喝一口就知道裡面也含有酒精，不過，我覺得它已經被巧克力稀釋得差不多了。

當我準備再喝第四杯的時候，那個女服務生已經無影無蹤了。梅森突然之間變得非常非常可愛，我希望他能再做出一點浪漫舉動，可他仍然在不停地講著血族和午間說起的準備組建軍隊的事。米婭和愛迪邊聽，邊熱烈地點頭，他們非常渴望加入。

克里斯蒂安也投身於這場爭論，但他扮演的卻是魔鬼的角色。他認爲，某種程度上，先發制人需要莫里族和守護者一起行動，正如塔莎所講。梅森、米婭和愛迪分辯說，莫里族可以不用參加，守護者應該用自己的本領控制局面。

我承認，他們的熱情很有感染力，可我比較偏向於先找到血族的下落。然而，在巴蒂卡和多羅茨多夫家的慘案中，所有的守護者都被殺了。不可否認，血族已經擁有了龐大的組織，也有幫手，所有的事都告訴我，我們這邊的人需要更加小心！

如果不是梅森很可愛，我眞的一點都不想再聽他談論他的格鬥技巧了。我想再喝點東西，於是站起身來，從池邊爬上岸。突然，整個世界開始旋轉起來，這令我有些吃驚，這種情況在我以前走出浴室，或者速度太快地爬出裝滿熱水的浴盆時也發生過，可事情有點不太對勁，我意識到那些飲料的後勁比我想的要大得多！

這時，我也覺得再喝第四杯不是個好主意，但我也不想再回去讓所有人都知道我喝醉了。我向旁邊的一間小屋走去，剛剛我看見女服務走了進去，我想，那裡也許會有藏著的甜點，比如說巧克力慕斯，而不是鵝肝。

我非常小心地走在濕滑的地板上，幻想著如果失足跌進那些池子，一定會令我顏面盡失。

我只顧腳下，竭力避免不要跌倒的時候，撞上了一個人。我用名譽發誓，這是他的錯！是他倒退著撞上了我！

「嘿！小心點！」我努力讓自己站穩。

但是他理都沒理我，眼睛緊盯著另一個男生，那個男生的鼻子正在流血。

14

兩個我以前從來沒有見到過的男生正擺著架式，僵持在那裡。揮了我的那個人給了另一個人重重的一擊，震得對方搖搖擺擺，向後退了幾步。

「懦夫！」我旁邊的那個男生大聲喊道。他穿著一條綠色的泳褲，黑頭髮因爲沾了水，服貼地攏向後面。「你們都是懦夫！只想躲在公寓裡，讓那些守護者做你們的替死鬼，等他們都死光了，你們打算怎麼做？那時候，誰來保護你們？」

另一個男生用手背將鼻血一把抹去。我突然想起他是誰了，多虧他這頭閃閃發光的金髮。他就是那個向塔莎發出詰問、指責塔莎想要將莫里族拖入戰爭的皇室，塔莎叫他安德魯。

安德魯搶上前就是一拳，但是落空了，他出拳的方法根本不對！

「這是最安全的辦法。如果聽那個血族狂的話，我們會全軍覆沒！她根本就是想要毀掉我們整個莫里族！」

「她是想救我們！」

「她想讓我們都去使用黑魔法！」

他口中的「血族狂」指的無疑是塔莎。

那個平民男生是我在我們這個小圈子之外見到的第一個力挺塔莎的人，我想知道還有多少人和他的觀點一樣。他又打了安德魯一拳，本能反應讓我馬上採取了行動。

我一個箭步衝出去，攔在他們兩個中間。我的頭還是暈暈的，腳下有些站不穩，如果他們不是站得很近，我可能會摔倒。

他們兩個猝不及防，不知道該怎麼辦。

「滾開！」安德魯罵道。

作爲男性，而還是莫里族，他們比我高許多、壯許多，但，我可能比他們任何一個人都要強！我暗暗祈禱著自己能搞定他們兩個，一邊伸出手，各拉住一人的胳膊，將他們拉近，隨後一把推開，有多大力使多大力。他們踉蹌著後退，顯然沒想到我能有這麼大的力氣，我自己也搖晃了兩下。

那個平民向我走近了些，我期望他是一個遵循傳統、不會動手打女人的人。「妳幹什麼？」他大吼。

旁邊很多人都駐足觀看，想知道到底出了什麼事。

我也吼了回去：「我在阻止你們兩個不要做出更多蠢事！你想幫忙嗎？那就別再打了！你們兩個就算把對方的頭擰下來，也沒辦法拯救整個莫里族，除非你們將天生的愚蠢從腦子裡擠掉！」

我指著安德魯。「塔莎．歐澤拉沒想要殺死任何人，她是要阻止你成爲下一個犧牲者。」我又指著另一個人。「至於你，你離能夠實現你的想法的那天還遠得很呢！魔法，特別是用來攻擊的魔法，需要有很強大的自我控制力，到目前爲止，我看不出來你有這種能力。我的自制力比你強，如果你很瞭解我的話，就知道這是多麼不可思議的一件事了！」

這兩個人看著我，一頭霧水，不過我的話對澆滅他們的氣焰顯然很有效……好吧！有效期只有幾秒鐘，當我說的話失效之後，他們兩個又打成一團，我成了無辜的炮灰，被他們一把推開，差一點摔倒！

這時，梅森突然從我背後衝出來，擋在我前面。他先揍了離自己最近的那個人一拳，就是那個平民。那個人向後飛了出去，跌進一池溫泉水裡，濺起了一片水花。

我驚呼一聲，想起自己之前曾經害怕掉下去會磕碎腦袋。不過，過了一會兒，他發現水只淹沒了他的腳面，伸手將臉上的水抹掉。

我抓住梅森的胳膊，想把他往後拽，可他用力掙脫了我，直衝安德魯而去。他用力推了安德魯一下，將他推倒在旁邊的莫里人群裡。我猜他們可能是安德魯的朋友，因爲他們看起來像是來勸架的。

那個平民莫里族人已經從池子裡爬了上來，滿臉寫的都是「憤怒」兩個字，揮拳就要衝向安德魯。這一次，我和梅森兩個人都攔在他的前面，他怒氣沖沖地瞪著我們。

「別動！」我警告他。

他仍然舉著拳頭，好像打算連我們一起打。我們用咄咄逼人的目光看著他，可他沒有像安德魯那樣的朋友來上前勸架。

安德魯仍然大喊大叫，但人已經被他的朋友們拖走了。我們又互相爭執了幾句，那個平民掉頭走了。

他一離開，我馬上轉向梅森。「你瘋了嗎？」

「啊？」

「摻和到這樣的事情裡！」

「妳不也摻進來了？」他說。

我正欲反駁，才發現他說的沒錯。

「這不一樣！」我狡辯道。

他湊上前來。「妳喝醉了嗎？」

「沒有！當然沒有！我不過是不想讓你幹蠢事。不能說你妄想要消滅血族，別人就要陪你一起發傻！」

「妄想？」他語氣艱澀。

我的胃這時開始翻滾，頭也暈得不得了。

我繼續向那間小屋走去，希望自己不會摔倒。當我走進去，才發現那裡根本不是什麼放甜點和飲料的小屋，而是一間充滿了餵食者的房間，空氣中充滿茉莉花的味道。幾個人類躺在緞面的貴妃榻上，一旁則躺著莫里，所有的餵食者都長得十分漂亮，像是藝人或者模特兒，果然是皇室的最佳選擇。

我被眼前的景象嚇了一跳——一個金髮碧眼的傢伙正俯下身子，咬住一個非常漂亮的紅髮女子的脖子，這種感覺十分怪異。那個傢伙深深地咬下去，狠狠地吸了個夠。女生則閉著眼睛，雙唇微啓，當莫里族人分泌出的內啡肽融入她的血液中時，她似乎有種飄飄欲仙的感覺。

我微微有些顫抖，想起了自己當初的感受。酒精雖然控制了我的意識，但看見這些還是有些熱血沸騰。事實上，我覺得自己冒犯了他們，看這種場面就像是在看別人做愛。當這個莫里結束了吸吮，舔乾淨最後一滴血液，他輕輕地吻了吻那個女生的臉頰。

「妳想試試嗎？」

一隻手輕輕地拂著我的脖子，我嚇得跳了起來，轉過身，正迎上艾德里安深綠的眼眸，和他好像什麼都知道的假笑。

「別碰我！」我說著，將他的手打掉。

「那妳為什麼來這裡？」他問道。

我看了看四周。「我迷路了！」

他看了我一眼。「妳喝醉了？」

「沒有！當然沒有！不過……」想吐的感覺好了一點，可我還是很難受。「我覺得我應該找個地方坐一會兒。」

他拉著我的胳膊。「好吧！不過別坐在這裡，有的人可能會會錯意。我們去找個清靜點的地方。」

他拉著我去了另一個房間，我好奇地看著這裡。

這是一個按摩區，有幾個莫里躺在椅子上，酒店的服務員正在給他們做腳底按摩。他們用的按摩精油像是迷迭香和薰衣草混在一起的味道。如果是在其他的情況下，這種按摩簡直酷斃了！不過要讓我的胃放平，可能是現在最差勁的主意了！

我坐在鋪了毯子的地板上，靠著牆。艾德里安走開了一會兒，再回來的時候，手裡拿了一杯水。他也坐了下來，將杯子遞給我。

「喝點水，能醒醒酒。」

「我告訴你了，我沒醉。」我嘟囔著說，不過還是喝了一口。

「啊哈！」他笑著說，「那場架妳勸得不錯！那個幫妳解圍的男生是誰？」

「我的男朋友。」我說，「算是吧！」

「米婭說得對，妳周圍有很多男生。」

「不是你想的那樣。」

「好吧！」他仍然面帶微笑。「瓦西莉莎呢？她總是和妳在一起。」

「她和她的男朋友在一起。」我小心地看著他。

「這種語氣是怎麼回事？妳也想讓他做妳的男朋友？」

「老天！不，我不喜歡他！」

「他對瓦西莉莎不好？」艾德里安問。

「不，」我老實說，「他對她好極了，只不過，他是個混蛋！」

艾德里安明顯很高興。「啊！妳嫉妒了！是不是她和他在一起的時間，比和妳在一起的時間要多？」

我沒有理他。「爲什麼你一直不停地問關於莉莎的問題？你對她感興趣？」

他笑了起來。「別緊張，我對她的興趣和對妳的不一樣。」

「不過你還是感興趣。」

「我只是想和她聊一聊。」他起身，又給我倒了點水。

「好點了嗎？」他舉著杯子問道。這個水晶杯上雕滿了花紋，用來盛水有點大材小用。

「嗯，我不知道這些飲料有這麼大的後勁！」

「它們只是有個迷人的外表。」他輕輕笑了。「說到迷人……妳很適合這樣的膚色。」

我愣了一下。和其他女生比起來，我露的不算太多，但現在是和艾德里安在一起，這就比我預想的要露得多了。

他有點神祕，我也不喜歡他的傲慢，不過，我還挺喜歡待在他的身邊的，也許我心裡的某一部分對這種自大還是認可的。

我被酒精麻木的頭腦裡靈光一閃。不過沒有辦法抓住它。我又喝了幾口水。

「你沒抽煙……呃……已經有十分鐘了，」我對他指出這點，想要轉換話題。

他做了個鬼臉。「這裡禁止吸煙。」

「我很肯定你不會在乎這些。」

他的笑容又回來了。「哇哦！看來我們中間有人已經擺脫酒精的作用了。妳沒有那麼難受了，是吧？」

我還是覺得頭暈，但不那麼想吐了。「對。」

「很好。」

我又想起了那個夢，那只不過是個夢，但它令我有些困擾，尤其是說我被陰影籠罩的那部分。我想問問他這件事，雖然我知道這麼做很蠢，那是在我的夢裡，不是他的。

「艾德里安……」

他綠色的眼睛看著我。「什麼事？親愛的。」

我還是沒能問出口。「算了！」

他正要開口，卻看向了門邊。

「哈！她來了！」

「誰……」

莉莎走了進來，四下看著。她發現我們的時候，我看見她鬆了口氣，不過，心電感應並沒有表現出來。身體裡過多的酒精可能會令心電感應變得有些遲鈍，這是我今晚不應該喝這麼多的另外一個理由。

「總算找到妳了！」她說著，在我身邊單膝跪了下來。看見艾德里安的時候，她點了點頭。

「嘿！堂妹。」他回應道。這種稱呼是各個皇室成員彼此之間常用的。

「妳還好嗎？」莉莎問我，「醉成這個樣子，我以爲妳掉到哪裡淹死了呢！」

「我沒……」我放棄了否認這點。「我沒事。」

艾德里安看著莉莎的時候，表情變得非常嚴肅。「妳是怎麼找到她的？」

莉莎奇怪地看著他。「我……呃……找遍了所有的地方。」

「哦，」他有些失望地說，「我以爲妳會用心電感應呢！」

我和莉莎都看著他。

「你是怎麼知道的？」我問道。

學院裡只有幾個人知道這件事，艾德里安知道這件事的可能性，和他的頭髮要變成我這樣的顏色一樣小。

「嘿！我不能一下就說出所有的祕密，對吧？」他神祕兮兮地說，「而且，肯定有一種方法能夠將妳們兩個緊緊聯繫在一起，這個解釋起來有點困難，不過……太酷了！所有的傳說都是真的！」

莉莎防備地看著他。「心電感應是單向的，蘿絲可以感應到我的感受和想法，但我不能感應到她的。」

我們沉默了一會兒，我又喝了點水。

艾德里安又說道：「那麼，妳到底擅長什麼元素？堂妹。」

莉莎有點尷尬。我們都知道對她的精神能力守口如瓶有多麼重要，否則別人有可能會要求她治病。不過，總是對別人說她什麼都不擅長，也令她很困擾。

「沒有。」

「他們認為妳以後會有嗎？突然爆發出來？」

「沒。」

「妳的能力其實比那些都要強，只不過還沒有強到可以掌握運用，對吧？」他隨意地坐到莉莎身邊，伸出手，誇張地拍了拍她的肩膀。

他的手觸到莉莎的一瞬間，她倒吸了一口氣，就像是有股電流從她體內穿過。她的表情變得非常奇怪，雖然我喝醉了，但是也能透過心電感應知道她的愉悅。她好奇地看著艾德里安，艾德里安也緊緊盯著她，我不知道他們兩個到底在幹什麼，這太奇怪了！

「嘿！」我說，「別看了，我告訴過你，她有男朋友了。」

「我知道，」可他仍然沒有動。一抹微笑浮上了他的唇邊。「我們改天要好好談談，堂妹。」

「當然。」莉莎同意說。

「嘿！」我比之前更疑惑了，「妳有男朋友，他就在這裡。」

莉莎眨眨眼，彷彿剛剛回到現實。

我們三個向門口望去，克里斯蒂安和其他人都站在門邊。我突然想起上次他們見到我和艾德里安在一起的時候，他正摟著我，這次情況也好不到哪裡去，莉莎和我分坐在他的兩側，捱得非常近。

莉莎慌忙站起來，稍稍有些愧色，克里斯蒂安奇怪地看著她。

「我們準備走了。」他說。

「好的。」莉莎低頭看了看我。「妳可以嗎？」

我點點頭，艱難地想要站起來。

艾德里安扶住我的胳膊，微笑著對莉莎說：「和妳聊天很愉快。」然後轉身，小聲地在我耳邊說：「別擔心，我說過，我對她的興趣不是那種興趣。她穿泳衣不是很好看，所以可能不太適合出去約會。」

我將他推開。「你永遠沒有機會證實了。」

「不要緊，」他說，「我的想像力很豐富。」

我和其他人一起沿著樓梯往大廳走去。梅森看著我的眼神和克里斯蒂安看著莉莎的眼神一樣奇怪，然後趕上去，和愛迪一起走在最前面。我很驚訝，也很不舒服，因為我發現自己和米婭走在一起，她的狀態糟透了！

「我……我對發生的事情感到很難過。」我終於開口說。

「妳的表現並沒有妳說的那麼難過，蘿絲。」

「不！我是說真的。太可怕了！我很難過……」她沒有看我。「那……那麼，妳打算過幾天就去找妳的爸爸嗎？」

「等追悼會的時候。」她很快地說。

「哦。」

我不知道還能說什麼，只好放棄，然後將注意力放在我們往回走的樓梯上。沒想到，米婭卻將我們的談話繼續了下去。

「我看見妳去勸架了……」她吞吞吐吐地說，「妳提到了攻擊魔法，好像對此很有想法。」

「那是我瞎猜的，我知道的也不多，都是聽別人講的故事。」

「哦。」她的臉色暗了下去。「什麼樣的故事？」

「呃……」我搜腸刮肚地想一些不太平常也不太離奇的故事，「就像我對那兩個人說的，注意力要非常非常集中，因爲對手是血族，任何動靜都會令人分心，必須要控制住自己。」

這是守護者守則最基本的一條，不過，這對米婭來說肯定很新鮮！她的眼睛睁得大大的，充滿了求知的渴望。「還有嗎？比如可以用什麼樣的咒語？」

我搖了搖頭。「不知道，我對咒語這些東西知道得不多，我說過，那些只不過是……我聽來的故事。我猜就是讓人可以把魔法當作武器來使用，比如火元素的使用者就非常有優勢，因爲血族特別怕火，所以這點對他們來說根本不成問題。氣元素的使用者可以令人窒息……」後一點我是間接地透過莉莎體驗到的，那太可怕了！

米婭的眼睛還是張得大大的。「那麼水元素的使用者呢？」她問道，「怎麼用水來攻擊血族？」

我愣住了。「我……呃……我從來沒聽過有關水元素使用者的故事，對不起！」

「那妳有什麼想法嗎？比如說……像我這樣的人可以學習什麼戰鬥？」

哈！這就是她的目的，看起來沒有那麼瘋狂。

我想起了開會時，她聽到塔莎談論向血族挑戰的時候，有多麼激動。米婭想找血族，替她媽媽報仇，怪不得她和梅森聊了那麼長時間。

「米婭。」我盡量很委婉，扶著門讓她先走，我們不知不覺已經快走到大廳了。「我知道妳肯定特別想……做點什麼。但是我覺得妳現在要做的最重要的一件事是……呃……盡快走出悲傷。」

她的臉漲得通紅，突然之間，我見到了一個有正常反應的米婭。

「別小看我！」她說。

「嘿！我沒有，我是很嚴肅的。我覺得妳在傷心的時候，最好不要衝動地作決定。而且……」

我吞下了後半句話。

她瞇起了眼睛。「而且什麼？」

管他的！她必須明白！「我真的不知道一名優秀的水元素使用者怎麼才能對抗血族，水有可能是對血族最沒有威脅的一種元素！」

她的怒氣更強了。「妳是個不折不扣的賤人，妳知道嗎？」

「我只是告訴妳這個事實。」

「好吧！我也告訴妳一個事實——妳在處理男生的問題上，是個徹頭徹尾的大傻瓜！」

我想起了迪米特里，她說的離事實並不太遠。

「梅森是個好人。」她繼續說，「他是我認識的男生裡最好的一個……之一，妳卻完全沒有意識到！他可以為妳做任何事，妳卻向艾德里安．伊瓦什科夫投懷送抱！」

她的話讓我很意外。米婭對梅森有意思嗎？而且我肯定沒有向艾德里安投懷送抱，儘管從表面上看起來可能是這樣。

不過，雖然這不是眞的，也免不了令梅森有受傷和被人背叛的感覺。

「妳說得對。」我說。

米婭瞪著我，很驚訝我居然會同意她的話。剩下的路程，她沒有再說一個字。

我們走進大廳，各自分頭向男生和女生的住宿區走去，等其他人走光了以後，我一把抓住梅森的胳膊。

「等等！」我說。

我迫切地想要向他澄清關於艾德里安的事，因爲我的心底有個小算盤，認爲我這樣是因爲我很在乎梅森，或者是因爲我很喜歡被他在乎的感覺，又或者是自私的不想失去他。

他停下來看著我，一臉狐疑。

「我想跟你說聲對不起。勸完架以後，我不應該吼你，我知道你是想幫我。至於艾德里安……什麼事都沒有，我是說眞的。」

「看起來可不像！」梅森說，不過他臉上的怒氣已經消失不見了。

「我知道，不過你要相信我，是他一廂情願，他對我有種傻兮兮的迷戀。」

我的誠懇一定起作用了，因爲梅森笑了起來。「是嗎？的確很難有人不迷戀妳。」

「我對他不感興趣。」我接著說。「也不喜歡別人。」這是個小謊言，不過我認為這無關緊要。

我不久就會忘掉迪米特里，米婭對梅森的評價是對的，他很好，貼心、可愛，如果我拒絕這一切就是個大傻瓜……吧？

我仍然拉著他的胳膊，順勢將他拉向自己。他不需要再進一步的暗示了，俯下身吻了我，吻著吻著，我覺得自己靠在牆上，這和那天我被迪米特里壓在牆上的情形很像。當然，這和迪米特里接吻的感覺一點也不一樣，不過這種吻也很甜蜜。

我摟住梅森，將他摟得更緊。「我們可以……換個地方。」

他放開我，笑了。「在妳喝醉的時候不行。」

「我醉得……沒有……那麼厲害了。」我想把他拉回來。

梅森輕輕地吻了下我的唇，退後了一步。

「已經很厲害了。瞧，這種事不是那麼簡單的，相信我，如果妳明天仍然想要我，等妳清醒了，我們再談。」

他又俯下身吻了吻我，我想緊緊地摟住他，可他再一次掙脫了。

「放心！寶貝。」他說著，向他自己住所的走道退去。

我看著他，但他只是笑了笑，轉過身。當他走遠後，我稍微冷靜了點，朝自己的房間走去，臉上帶著盈盈的笑意。

15

第二天一早，我正費力地塗著腳指甲油——宿醉之後做這種事可真不容易！這時，有人敲門。莉莎在我起床之前就出去了，我只好一瘸一拐地穿過整個房間跑去開門，這期間還要小心不要弄花指甲油。

我打開門，飯店的服務員雙手捧著一個超大的盒子站在門外。他稍微放低了點，這樣可以看清周圍，也能看見我。

「請問蘿絲·海瑟薇小姐在嗎？」

「我就是。」

我接過盒子，飛快地說了聲謝謝，然後關上門，心裡在想：我是不是應該付給他小費？哦……算了！

這個盒子雖然很大，但一點也不重，我拿著盒子坐在地板上，上面什麼都沒寫，只簡單地用膠帶封住。我找了枝筆，將膠帶劃開，劃到差不多的程度，我掀開盒子往裡面看——

裡面是滿滿一盒香水！

至少有三十瓶包裝完整的香水，有些我看過，有些沒看過。這些香水從天價的奢侈品，到電影明星代言的，到街頭小店裡賣的便宜貨，一應俱全。Eternity、Angel、Vanilla Fields、Jade Blossom、Michael Kors、Poison、Hypnotic Poison、Pure Poison、Happy、Light Blue、Jovan Musk、Pink Sugar、Vera Wang……（注❶）我一個接一個拿起來，看包裝上的說明，然後將這些瓶子推到一邊，不屑一顧。

我推到一半的時候，突然明白了，這些肯定都是艾德里安送的！

我不知道他是怎麼在這麼短的時間裡，找到了這麼多香水，送到酒店裡，不過有錢能使鬼推磨。然而，我不可不想招惹富有、任性的莫里族人，很明顯，他沒有明白我的暗示。

我後悔打開盒子，將這些香水又一個一個裝了回去，裝著裝著，我停了下來，再次將這些香水一瓶一瓶地拿出來，有的我聞了聞蓋子，有的我將它們噴向空中，Serendipity、Dolce&Gabbana、Shalimar、Daisy……一個又一個味道衝擊著我，玫瑰、紫羅蘭、檀香、橘香、香草、蘭花……

全都聞完一遍以後，我的鼻子幾乎什麼都聞不出來了。這些香水都是爲人類設計的，人類的嗅覺比吸血鬼差得多，甚至連拜爾都比不上，所以，這些味道顯得異常的濃烈。

我對艾德里安說的「需要一點點香水」有了新的感受，如果這些香水的味道能把我嗆得頭暈，眞不敢想像如果莫里族聞了會怎麼樣。

我這一次很認眞地將香水重新放回盒子裡，在看見了我打從心底喜歡的那款之後，才停了下來。我手裡拿著那個小瓶子，猶豫不決，忍不住又重新聞了一下。這是一款清新的香水，帶一點水果香，不過不是那種糖醃的或者是蜜餞的水果香，這種味道讓我想起了宿舍一個我認識的女生，她對我說過香水的名字，那比較像是漿果，不過更濃烈一點。現在的味道，和那時的一模一樣。

現在，同樣的香水就在我手裡，混合著各種植物成分，比如山谷百合，還有其他我聞不太出來的味道。不管裡面是什麼，其中肯定有一種打動了我——有點甜，又不太甜。我看著包裝盒，尋找香水的名字——Amor Amor。

「天意……」我低聲說著，同時想到了我最近面臨的那許多愛情煩惱。

我終於決定留下了這瓶，並且將其他的都包好、放好。

我將盒子夾在胳膊底下，帶著它來到櫃台，要了點膠帶將它封好，然後走向艾德里安的房間。很顯然，伊瓦什科夫家有自己專屬的住宿區，他的房間離塔莎的房間不遠。

我覺得自己像個速遞員，在我鼓起勇氣敲門之前，門開了，艾德里安站在我面前，他看起來和我一樣驚訝。

「小拜爾。」他熱情地說。「沒想到會在這裡見到妳！」

注❶：以上都是不同品牌的經典款香水，下文的Serendipity等同。

「我來還給你這些。」我在他拒絕之前直接將盒子丟給了他。他笨手笨腳地接住盒子，因爲驚訝沒站穩。他退後幾步，將盒子放在地上。

「妳一個都不喜歡嗎？」他問道。「需要我多買幾款送給妳嗎？」

「別再送我禮物了！什麼都別送！」

「這不是禮物，是公共服務。女人怎麼能沒有香水呢？」

「別再這麼做了。」我平靜地說。

突然，他身後響起一個聲音：「蘿絲，是妳嗎？」

我向他身後看了一眼，是莉莎。

「妳在這裡做什麼？」

我的頭很痛，腦子裡還想著克里斯蒂安在哪裡，卻仍能分出心思來想今天早上我爲什麼不盡自己最大力阻止莉莎出門。一般情況下，我透過心電感應便能立刻知道她在這裡。

我放鬆自己，讓她的細想湧入我的意識裡，她沒想到我會來這裡。

「妳在這裡做什麼？」她問道。

「女士們、女士們……」艾德里安打岔說，「沒必要因爲我吵架。」

我瞪了他一眼。「我們才沒吵，我只是想知道這裡發生了什麼事。」

一陣鬍後水的味道飄來，然後，我身後又響起一個聲音：「我也想知道。」

我嚇得跳了起來，轉身一看，迪米特里站在走道上，我不知道他來伊瓦什科夫的地盤做什麼。

*他是要去塔莎的房間！*一個聲音在我心裡響起，替我回答。

毫無疑問，迪米特里一直認爲我總是被捲入各種麻煩之中，不過我想他絕對沒有想到會在這裡看見莉莎。

他繞過我走進房間裡，看著我們三個。「男生和女生是不能去對方的房間的。」

我火大地問艾德里安：「你是怎麼做到的？」

「我怎麼了？」

「不斷讓我們被人誤會！」

他咯咯笑了起來。「是妳們自己到這裡來的。」

「你不應該讓她們進屋。」迪米特里訓斥道，「我確信你知道聖弗拉米爾學院的規定。」

艾德里安聳聳肩。「對，不過我從沒遵守過學院的什麼狗屁規定。」

「也許你沒有。」迪米特里冷冷地說。「但是我認爲，你對這些規定應該抱有起碼的尊重。」

艾德里安翻了翻白眼。「你總喜歡對未成年的女生說教。」

我看見迪米特里的眼中冒出火花，有那麼一刻，我以爲我看見了曾經嘲笑過他的那種失控。但是他仍然努力克制，只有握緊的拳頭表明他現在有多麼生氣。

「另外，」艾德里安繼續說下去，「我們沒做什麼事，只不過是約會而已。」

「如果你想和小女生『約會』，隨便一個公共場所都可以去。」

我不太喜歡迪米特里稱我們爲「小女生」，而且我覺得他有點反應過度了。我還自作多情地認爲他有這種反應，是因爲看見我在這裡。

艾德里安聽了一會兒，大笑起來，那種奇怪的笑聲令我汗毛乍起。「小女生？小女生？當然，小和老是同時存在的，小的對人生什麼都不懂，老的又懂得太多了。一個代表了生命的開始，一個代表了生命的結束……不過小女生們是你該擔心的嗎？擔心你自己吧！拜爾。」

我們幾個人都目不轉睛地看著他。我想，沒人能預料到艾德里安會突然離題八丈遠。

艾德里安冷靜下來，表情又回歸正常。他轉身，踱著步走到窗邊，在吸煙的空檔偶爾回頭看看我們。

「妳們兩位女士應該走了，他說得對，我的名聲太壞了！」

我和莉莎交換了一下眼神，急匆匆地跟在迪米特里的身後走出房間，沿著走道向大廳走去。

「這太……奇怪了！」過了幾分鐘後，我說。雖然這是廢話，但是……總得有人先開啓話題。

「非常奇怪！」迪米特里說道，他話裡的憤怒比不上他的疑惑。

我們走到大廳，我準備跟莉莎一起回房間，迪米特里卻叫住了我。

「蘿絲。」他說，「我能和妳說兩句話嗎？」

感覺到莉莎對我充滿了同情，我轉身看著迪米特里，向有房間的這一邊退了一步，讓出走道。

一群穿金戴銀的莫里族從我們身邊呼嘯而過，每個人臉上都寫著不安，旅館的服務員提著行李跟在後面。

人們還在不斷地離開，尋找新的更安全的場所，對血族來襲的恐慌，並未消除。

迪米特里的聲音讓我將注意力轉回他身上。

「那個人是艾德里安・伊瓦什科夫。」他說到這個名字時的口氣，和其他人一樣。

「對，我知道。」

「這是我第二次看見妳和他在一起了。」

「沒錯。」我陰陽怪氣地說，「我們有時候會一起玩。」

迪米特里揚起了一邊的眉毛，「妳常常去他的房間玩？」

我想出了無數種回答的方法，最後選了一個最漂亮的。「我和他之間的事，與你無關。」我努力模仿他用同樣的話回答我問他和塔莎之間的關係時的口吻。

「事實上，只要妳還在學院，妳的事就和我有關！」

「不包括我的私生活，你沒有權利過問。」

「妳還沒有成年！」

「快了。而且，並不是說到了我十八歲生日那天，我就會像被施了魔法一樣突然間長大了。」

「完全正確！」他說。

我的臉羞得通紅，「我不是那個意思！我是說……」

「我明白妳的意思，現在那些具體的東西都不重要，妳是學院的學生，我是妳的老師，我的職責就是幫妳，保證妳的安全。和他那樣的人待在臥室裡……呃……不太安全！」

「我很瞭解艾德里安，」我小聲說，「他很怪，非常奇怪，這不用多說，但是他不會傷害我。」

我偷偷地猜想，迪米特里這麼說是不是因爲他嫉妒，因爲他沒有將莉莎拉到一旁對她吼。這種想法讓我有些竊喜，這時，我想起了之前我覺得奇怪的事——爲什麼他會路過？

「說到私生活……是不是打擾你去找塔莎了？」

我知道這很小氣，也做好了聽到「與妳無關」這種回答的心理準備，可他只是說：「事實上，我正要去找妳媽媽。」

「你也打算勾引她嗎？」我知道他當然不會，但這麼絕妙的嘲弄他的機會，我絕不能放過。

他好像也看出來了，僅僅不耐煩地看了我一眼。「不，我們在查找多羅茨多夫家慘案的最新線索。」

我的妒火和刻薄馬上不見了，今天早上發生的所有事似乎在一瞬間變得不那麼重要了。我怎麼能在迪米特里和其他守護者忙著保護我們的時候，還站在這裡與他爭論那些可能有也可能沒有的兒女情長的東西呢？

「你發現了什麼？」我輕輕地問。

「我們設法追蹤到了血族的蹤跡。」他說，「或者是和他們在一起的人類。當時在現場附近，有人看見了幾台屬於那些人的車，牌照什麼地方的都有，很顯然，這群人是臨時拼湊在一起的，也有可能是爲了模糊我們的視線。有一個目擊者記下了其中一個車牌，牌照的註冊地址在斯波坎。」

「斯波坎？」我難以置信地問，「斯波坎？華盛頓？誰會將斯波坎當作自己的藏身地點？」我曾經去過一次斯波坎，它和大多數西北邊的偏遠城市一樣無聊。

「很顯然，是血族。」他面無表情地說，「地址是假的，不過有別的證據證明他們確實在那。有許多大的購物中心都有地下通道，有人見到血族在那附近出沒。」

「那麼……」我皺著眉頭，「你打算去追殺他們嗎？還是有別人去？我是說，這件事塔莎已經計畫許久了，如果我們知道他們的行蹤……」

他搖了搖頭。「守護者在沒有獲得高層的允許時，是不會擅自行動的。妳說的那種事沒有那麼快實現。」

我嘆了口氣。「因爲莫里族人太喜歡討論了！」

「他們力求周全。」他回答說。

我覺得自己又充滿了激情。「算了吧！就連你這次都不想再謹慎下去了。你肯定知道血族藏在什麼地方，那些連孩子都不放過的血族，你不想趁他們沒有防備的時候去殺死他們嗎？」我現在的語氣聽起來很像梅森。

「沒那麼簡單！」他說。「我們已經恢復了守護者議會和莫里族的政府，不能偷跑，也不能做出衝動的事情。不管怎麼說，我們還沒有掌握所有情況，在沒有瞭解透徹的情況下，妳永遠不能貿然採取行動。」

「又開始說教了！」我無奈地說，伸手將頭髮塞到耳朵後面。「可是，爲什麼你跟我說這些呢？這是守護者的事，你不會讓實習生涉及這種事情的。」

他想了想該如何措辭，表情變得溫和了許多。他永遠都那麼帥，但我最喜歡他這種表情。「我說了幾句話……那天還有今天……我本來不應該說的，這是對妳的歧視。妳才十七歲……卻能和比妳大好幾歲的人一樣，掌控和處理許多事。」

我覺得十分高興。「眞的？」

他點點頭。「在許多方面妳都還很稚嫩，我是指行爲上比較稚嫩，不過唯一能改變這點的，就是將妳當個眞正的成年人一樣對待，我得更加努力。我知道妳能明白這些資訊有多麼重要，絕不會洩露出去。」

我不喜歡他說我的行爲幼稚，不過，我喜歡他平等與我談話的方式。

「迪米卡。」突地，一個聲音響起。塔莎朝我們走過來，她在看見我的時候笑了。「哈囉！蘿絲。」

「嘿！」我有點不自然，簡單地和她打了個招呼。

她將手搭在迪米特里的手臂上，手指輕輕劃著他的皮大衣。我看見那些手指就有無名的怒火——它們怎麼有膽碰他？

「你又出現那種表情了！」她對迪米特里說。

「哪種表情？」他問道。他對我的那種嚴厲不見了，嘴邊掛著一個小小的微笑，很明顯是在開玩笑。

「那種說明你今天一整天都要克忠職守的表情。」

「真的？我有那種表情？」這是揶揄，他的語氣中帶著一絲嘲弄。

塔莎點點頭。「你上一次值班是什麼時候？」

我發誓，迪米特里的表情近乎於不好意思。「一小時之前。」

「你不能總是這樣！」塔莎低吼起來。「你需要休息！」

「呃……如果妳明白我還是莉莎的守護者……」

「就現在。」她一副「我很明白」的樣子。「樓上要舉辦一場游泳錦標賽。」

「我不行。」他這麼說，但臉上仍然掛著微笑。「而且我很長時間都沒有參加過了……」

迪米特里游泳？

突然之間，我們剛剛像大人一樣的對話再也不重要了。我有小部分心思知道他將我平等看待算是對我的讚揚，但剩下的大部分心思仍然希望他對我能像他對塔莎一樣，開開玩笑、鬥鬥嘴，輕鬆隨意。他們兩個彼此非常熟悉，相處時非常放鬆。

「來吧！」她拜託道，「就一圈！我們可以打敗所有人。」

「我不行。」他再次說，帶著些許遺憾。「在現在這種時候不行。」

塔莎稍稍冷靜了些。「對，你說得對。」她看向我，故作輕鬆地說：「眞希望妳知道面前站著一個多麼好的硬漢榜樣，他從沒忘記過他的職責。」

「呃……」我模仿她之前的語氣說，「至少現在是。」

塔莎有些迷惑，我猜她不覺得我是在拿她開玩笑，但迪米特里陰沉的表情告訴我，他對我的把戲再清楚不過。我立刻意識到，我剛剛親手毀掉了可以表明自己是個大人的機會！

「今天就談到這，蘿絲，記住我剛剛說的。」

「好，」我說著，轉過身，突然想趕緊回到自己的房間冷靜一下。今天一整天已經把我折騰得筋疲力盡了。「沒問題！」

我走了沒多遠，就碰見了梅森。我的老天，男人無處不在！

「妳在生氣！」他看見我的表情，立刻說道，對掌握我情緒的變化非常在行。「發生什麼事了？」

「遇上點……和職責有關的問題。這個早上糟透了！」

我嘆了口氣，無法將迪米特里從腦海中揮去。我看著梅森，記起了昨天晚上我安慰他說我對他有多麼認眞，這些話說得太早了，我現在對誰都是模稜兩可，拿不定主意。

但是，忘記一個人最好的辦法，就是將注意力放在其他人身上，我拖起梅森的手，拉著他走開。

「跟我來，我們不是說好今天要找個地方……呃……做點私人的事情嗎？」

「我看出來妳已經清醒了。」他嘴上雖然開著玩笑，眼神卻顯得非常非常嚴肅，還露出一絲玩味。

「徹底清醒了！」

「嘿！我的頭腦隨時都保持清醒，不管什麼情況。」我伸出自己的意識，四處尋找莉莎。她已經離開了我們的房間，去做些身爲皇室該做的事情，毫無疑問是爲了普里西拉．沃達的大型晚宴做準備。

「我們走。」我對梅森說，「去我的房間。」

除了迪米特里偶爾出現在別人房間門口這件事比較麻煩，沒人眞的在乎男生女生不許進對方房間的規定，特別是我們在學院宿舍的時候。

我和梅森走上樓，我向他提起了迪米特里對我說的血族在斯波坎出沒的這件事。迪米特里囑咐過我要保密，可他再次惹惱了我，而且我也不認爲告訴梅森有什麼不妥，我知道他對這些很感興趣。

我說對了！梅森確實變得很興奮。

「什麼？」我們走進房間以後，他大聲說：「他們居然什麼都不打算做？」

我聳聳肩，坐在床上。「迪米特里說……」

「我知道、我知道……妳已經說過了，對這種事要特別謹慎。」梅森火大地在我房間裡踱來踱去。「但是如果這些血族去找其他的莫里家族……該死！他們會後悔自己的謹慎過度！」

「忘了吧！」我說，覺得有點生氣，我都坐在床上了，居然還不能令他閉上嘴，不再想那個瘋狂的戰鬥計畫。「我們什麼都做不了。」

他停下腳步。「我們可以去。」

「去哪裡？」我傻呵呵地問。

「斯波坎。我們可以從小鎮上搭公車去。」

「我……等等！你是說我們自己去斯波坎對付血族？」

「就是這個意思！愛迪也會參加的……我們可以去那個購物中心。那些血族不可能在一起，我們可以藏在暗處，一個一個把他們消滅。」

我只能睜大眼睛。「你什麼時候變傻了？」

「啊！謝謝妳爲我的自信投了一票。」

「這和自信什麼的沒有關係。」我反駁說，然後站起來走向他。「你本領是很大，這點我知道。但是，這……這不是你想的那樣！我們不能叫上愛迪去對付血族，我們需要更多的人手，還有更詳細的計畫，和更準確的情報。」

我的手扶上他的胸口，他反握住我的手，笑了，眼中仍燃燒著對戰爭的渴望，不過我敢打賭，他的心思已經轉到了別的地方，比如我。

「我不是眞的認爲你是個傻瓜。」我對他說。「對不起！」

「妳那麼說，是因爲妳想以自己的方式和我在一起。」

「就是這樣。」我笑了，看到他放鬆下來很開心。這種對話讓我想起教堂上克里斯蒂安和莉莎的對話。

「好吧！」他說，「我認爲把握住這個機會沒有那麼困難。」

「很好，因爲還有很多事情等著我們去做。」

我抬起手摟住他的脖子，他的皮膚非常溫暖，我想起昨天晚上他的吻有多麼令人陶醉。猝不及防的是，他不知道想起了什麼，說了一句：「妳眞不愧是他的學生！」

「誰？」

「貝里科夫。我剛剛想了一下妳說的需要更多的情報和人手，妳的反應和他一樣。妳和他在一起訓練以後，變得認眞多了！」

「不，我沒有。」

梅森將我摟得更緊了些，可我突然興致全無。我一直想要忘掉迪米特里，也不想提到這個人的名字。這種情況是怎麼回事？梅森應該能夠讓我忘了他的。

梅森沒有察覺有什麼異常。「妳變了，這是事實，也不算壞事……不過跟以前不太一樣了。」這句話讓我有點火大，但是在我說話之前，他的唇封住了我的口。理性漸漸消失，我的內心又升起了那種陰暗的情緒，我只能將這種緊張轉化為身體語言，同梅森緊緊纏繞在一起。

我將他推倒在床上，不斷地吻著，在沒有任務的情況下，我什麼都不是。我的指甲陷進他的背，他的手撫摸著我的脖子，順勢鬆開了我幾分鐘前剛剛綁上的馬尾，他的手穿進我披散下來的頭髮中，一路吻到我的脖子。

「妳眞是……太誘人了！」他對我說。我知道他是認眞的，他的臉上全部都是對我的迷戀。

我拱起身，讓他的唇可以更用力地吻在我的身上，同時，他的手也伸向我的襯衫裡面，手指沿著我的肚子向上探索，碰到我內衣的邊緣。

我們剛剛還在爭論，現在事情一路峰迴路轉，我有些驚訝，居然這麼快就走到了這一步。不過老實說……我不太在意，這就是我的生活方式，我身上發生的事，永遠令人猝不及防。

我和迪米特里中了維克托情慾咒的那個夜晚，也是如此充滿了激情，但是迪米特里及時控制住，我們的速度放緩了下來……那種方式也很美好，但是大多數時候，我們不能再緊緊擁抱在一起。我總是忘不了那種感覺，他的手在我身上游移、又深又有力的吻……

這時，我突然意識到什麼。

吻我的人是梅森，可我腦子裡想的人卻是迪米特里！而且，這不是我想起他來這麼簡單，我其實是在幻想和我在一起的人是迪米特里，然後得以重溫那一晚的激情。

當我閉上眼睛，假裝這一切是很容易的。但是，當我睜開眼睛，對上梅森的目光，我知道他心裡想的是我。他喜歡我、渴望擁有我已經很長時間了，可我人和他一起，心裡想的卻是另外一個人……

這麼做是不對的！

我開始推他。「不！別這樣！」

梅森立刻停了下來，他就是這麼體貼的一個人。

「太快了？」他問道，我點點頭。「沒關係，我們不是非得做那件事。」

他又開始摸我，我躲得遠遠的。「不，別……我不知道，我們今天就先到這，好嗎？」

「我……」他一時不知道說什麼才好。「妳剛說『有很多事可做』，現在是怎麼回事？」

對，現在這樣太糟了！可我能說什麼呢？告訴他「我不能和你有身體接觸，因爲這麼做的時候，我心裡想的其實是另一個人，你只是個代替品」？

我吞了口口水，覺得自己很蠢。「對不起，梅斯，我只是沒辦法。」

他坐起來，一隻手扶著頭。「好吧！沒關係。」

我能聽見他語氣中的冷漠。「你生氣了？」

他看著我，露出憤怒的表情。「我只是不太明白，我讀不懂妳給我的暗示。前一刻，妳還很熱情，後一刻又變得冷冰冰。妳說妳想要我，妳又說妳沒辦法。如果妳只有一種說法，那也就算了，可妳剛剛給我指了一條路，自己卻往相反的方向走去。不只是現在，妳總是這樣！」

這是事實，我一直在躊躇不前。有時候我很熱情，另外一些時候我根本對他理都不理。

「是不是妳希望我做些什麼？」他見我什麼都不說，繼續問道。「做些……我不知道，能讓妳對我感覺好些的事？」

「我不知道。」我虛弱地說。

他輕嘆一聲。「那妳到底想要什麼？」

迪米特里！我心裡說。可是我能說的，卻是不斷重複的「我不知道」。

他低吼一聲，站起來朝門邊走去。「蘿絲，對一個說自己必須要盡可能搜集更多情報的人來說，妳眞的必須要先學會瞭解妳自己。」

門在他身後重重關上，那一聲「砰」讓我嚇得哆嗦了下。我看著梅森剛剛待的地方，知道他說得對，我確實有很多事要學。

16

莉莎後來找到了我。梅森離開以後，我就沉沉睡去，不想離開床一步，是她摔門的聲音吵醒了我。

我很高興能看見她，我需要將自己和梅森的這些事找人好好聊一聊。在我開口前，先看看了看她在想什麼，原來她的問題一點也不比我少，所以，像以往一樣，我讓她先說。

「怎麼了？」

我走到她那邊，重重地坐下來，身子陷在羽絨被裡。

她既生氣又難過。「克里斯蒂安。」

「眞的？」我從不知道他們也會吵架，他們有時會拌嘴，但是很少嚴重到令莉莎掉眼淚的地步。

「他發現我今天早上跟艾德里安在一起。」

「哇哦！」我不禁驚呼，「這確實是個問題。」

我站起來，走到梳妝檯前翻出我的大梳子，哆哆嗦嗦地站在鍍金的鏡子前，將午睡時沾在頭髮上的羽絨用梳子梳掉。

她生氣地喊：「但是什麼事都沒有！克里斯蒂安只是在吃飛醋，眞不敢相信他居然不相信我！」

「他信任妳，只不過整件事很古怪，僅此而已。」我想起了迪米特里和塔莎。「嫉妒往往能讓人說出很多蠢話。」

「但是根本就什麼事都沒有。」她再三強調，「我是說，妳也在那裡……對，我還沒弄清楚呢！妳去那裡做什麼？」

「他送了我一大堆香水。」

「他……妳是說妳拿的那個大箱子？」

我點點頭。

「哇塞！」

「我只是把東西拿去還給他。」我說，「但，妳去哪裡做什麼？」

「就是去聊聊。」她說。她原本打算告訴我什麼，突然卻又改變了想法，我能感覺到話已經到了她的嘴邊，卻被她嚥了回去。「我有很多事要對妳說，不過首先妳要先說說妳的問題。」

「我什麼事都沒有。」

「也許吧！蘿絲，我不像妳有心電感應，但是我知道妳肯定是在生氣，自從耶誕節之後，妳就有點不對勁。發生什麼事了?」

現在不適合提起耶誕節我媽媽說的關於塔莎和迪米特里的事。不過,我對莉莎說了我和梅森的事,以及我是怎麼把事情搞糟的。當然,在談到我為什麼停下來的時候,做了些小改動。

「嗯……」她聽我說完以後說,「妳有權這麼做。」

「我知道,但是一開始是我提出來的,我能明白他為什麼那麼傷心。」

「你們兩個會沒事的,去找他談談,他對妳可癡情了!」

這不是缺乏交流的問題,我和梅森的問題沒那麼容易解決。

「我不知道。」我老實坦白道,「不是所有人都能像妳和克里斯蒂安一樣。」

她的臉又拉長了。「克里斯蒂安?我還是不能相信他在這個問題上表現得這麼愚蠢!」

我本不應該這麼做的,可我實在忍不住,還是笑了出來。「莉茲,你們只要親一親就會和好了,也許不止親吻。」

最後一句話在我能收回之前就溜了出來,莉莎的眼睛睜得大大的。

「妳知道了?」她懊惱地搖搖頭。「對……妳當然會知道。」

「抱歉!」我說。在她沒有親口告訴我之前,我本來不想讓她知道我已經知道這件事了。

她看著我。「妳知道多少?」

「呃……不太多。」我撒了個小謊。

我已經梳完了頭髮，可手裡還是把玩著梳子，避免對上莉莎的目光。

「看來我必須學學怎麼讓妳不要輕易溜進我的意識裡了。」她喃喃自語著。

「那是因爲我最近都沒怎麼和妳『談心』。」又一句大實話溜了出來。

「妳這麼說是什麼意思？」她不解。

「沒有……我……」她嚴厲地看了我一眼，「我……我不知道。我只是覺得我們不像以前那樣常常聊天了。」

「這個問題需要兩個人一起解決。」她又變得溫和了。

「說得對。」

我沒有告訴她，兩個人一起解決的唯一辦法，就是其中一個不要常常陪在自己的男朋友身邊。是，我是對自己常常侵入她的意識覺得內疚，但我最近特別想找她暢談一番，好幾次了，只不過時機一直不對，現在也是。

「妳知道，我從來沒想過妳會在我前面……我沒想到自己到了高中還是個處女。」

「對。」她嘲弄地說，「我也沒想到。」

「嘿！妳這麼說是什麼意思？」

她咯咯笑了起來，然後看了看手錶，收起笑容，「我要去參加普里西拉的晚宴了。本來應該是克里斯蒂安跟我一起去的，不過他現在還在生悶氣……」她充滿希望地看著我。

「什麼?不!拜託，莉茲，妳知道我有多討厭這種你們皇室這種正經八百的場合!」

「來嘛!」她請求道，「克里斯蒂安已經睡著了，妳不能將我一個人留在那群惡狼裡。妳剛剛不是說我們需要好好談談嗎?而且，等妳成爲我的守護者，這種場合妳總是要參加的。」

「我知道。」我悲慘地說。「但我本以爲我能夠享受最後六個月的自由的。」

到最後，她成功地說服我和她一起去。

時間所剩不多，我要在這麼短的時間裡洗澡、做頭髮、化妝。我一時興起，把塔莎送我的洋裝拿了出來，我還是想以此吸引迪米特里的注意，讓他嘗嘗痛苦的滋味。現在，我很感謝塔莎送的這個禮物。

我換上這套絲質洋裝，開心地發現它穿在身上的效果和我想像中的一模一樣，讓我變得迷死人不償命。這是一套亞洲風格的洋裝，上面點綴著花朵，高領和長襬的設計，不會露出很多皮膚，可是貼身的絲綢令我變得性感無比，這種性感和那種到處露的性感是大不相同的，我眼睛的顏色幾乎可以被忽略不計了。

莉莎和以往一樣，打扮得非常漂亮。她將頭髮盤起來，梳了一個非常精緻的髮髻，身上則穿著一襲深紫色的禮服。那是一襲緞面的無袖禮服，腰帶上點綴的小小的紫水晶，在她雪白的膚色映襯下，璀璨奪目。喬恩娜．羅斯基是莫里族最著名的設計師之一。

我們抵達宴會廳的時候，立刻吸引了無數的目光。那些皇室沒想到，德拉格米爾家族的公主會帶著自己的拜爾族朋友前來參加這麼上流的晚宴，這可是只有憑請柬才能參加的呢！而且，莉莎的請柬上寫著「攜友人」。

我們坐在指定的座位上，有很多人的名字我都已經不大記得了，他們很樂意忽視我，我也很樂意被他們忽視，不過，這並不代表我就沒有事情可做。

整間屋子以銀和藍爲主色調，桌子上鋪著午夜藍綢的桌巾，布料又亮又柔滑，我在它上面用餐時，連大氣都不敢喘一下。燭台插著黃色蠟燭，掛滿了所有的牆面，壁爐上的一角裝飾有碎紋的彩色玻璃。縱觀全景，這裡是一個光影結合的巨幅畫作，耀眼至極。在角落裡，一位纖細的莫里女人拉著大提琴，奏出溫柔的旋律，她陶醉在自己的動聽的歌聲裡。水晶酒杯晶瑩剔透，爲整個氣氛補上了甜甜的一筆。

晚宴一如既往的豐盛，食物都是精心烹飪而成，盤子裡的每樣食物我居然都叫得出名字，而且都很喜歡吃。這些食物裡沒有鵝肝，大馬哈魚澆上用香菇調成的醬汁、一盤梨片山羊起司沙拉、精緻小巧的杏仁甜點。我唯一有怨言的地方，是這些食物的分量都很少，擺在盤子裡，看起來更像是起點綴作用。我發誓，我眞的只用了十口就把它們都吃光了。

莫里們在吃東西的時候，仍然要配以新鮮的血液，所以，他們對食物的需求遠沒有人類……或者說，沒有一名正在成長的拜爾少女來得多。

不過，我認爲僅僅是這些食物，我冒險來這一趟便值回票價。可在我們酒足飯飽之後，莉莎卻說我們還不能走。

「我們還要去應酬一番。」她悄悄對我說。

應酬？

莉莎看著我為難的樣子，笑了起來。「妳可是比我健談喲！」

這話倒是不錯，在大多數情況下，我是我們兩人當中那個勇往直前、不怕和陌生人說話的人，莉莎則顯得略微害羞一些。不過，這是她的圈子，不是我的。

我看見莉莎在這些上流人士當中如魚得水，她幹得非常漂亮，舉止優雅、彬彬有禮，每個人都爭著和她說話，她也回應得十分得體。她沒有用催眠術，但她身上絕對散發出一種魅力，將其他人吸引到她周圍。我認為這可能是無意識使用精神能力的一種情況。就算有藥物的控制，她的魅力和天生的領導氣質也可以散發出來。

不管社交活動曾經怎樣令她覺得緊張和有壓力，現在她已經可以泰然自若地面對這一切了，我為她感到驕傲。他們談的大部分話題都很輕鬆，比如時尚啦、皇室的緋聞八卦啦什麼的，沒人想談論噁心的血族這種破壞氣氛的話題。

一整晚，我都不離她左右。我嘗試勸慰自己，這全是為了今後的彩排，那時不管我願不願意，都要像個安靜的影子一樣跟在她身後。可事實上，在這群人中，我的彆扭一如既往，心裡已經認命，知道自己平時的諷刺嘲弄在這裡完全沒有用武之地。

我還有一個痛苦的發現——我是這裡唯一的拜爾族客人。當然，這裡也有其他的拜爾族人，只不過他們都是以守護者的身分出現，在房間的邊緣徘徊。

莉莎和一群人寒暄的時候，我轉頭看向一小群音量漸高的莫里，其中一個我認識，他就是我勸架的那兩個男生中的一個，只不過這次他身上穿的是黑色的燕尾服，而不是游泳褲。

他毫不掩飾地看了我們半天，但很顯然他不記得我了。他沒有理會我們，繼續同別人爭論，毫不意外，他們的話題圍繞著怎麼保護莫里族，他比較贊成莫里主動出擊，去找血族算帳。

「『自尋死路』這個詞你有哪個字不明白？」他一旁的一個老人問道。他長著滿頭銀髮、蓄著大鬍子，身上也穿著燕尾服，不過那個年輕人的穿著似乎更好看。「將莫里族訓練成戰士，會令這個種族走上不歸路！」

「這不叫自尋死路。」那個年輕人說。「這是唯一的辦法，我們必須開始依靠自己，學會戰鬥。魔法是我們最大的資本，這點連守護者都比不上！」

「對，可是正因爲守護者的存在，我們沒必要動用這種資本。」銀髮老人說，「你一定是受了那些平民莫里的影響，他們沒有守護者保護，當然害怕了，但這不足以成爲把我們拉下水、拿我們的性命去冒險的理由。」

「那就別做。」莉莎突然插嘴道。她的聲音很輕柔，可這一小群裡的每個人都停下來看著她。

「當人們談起莫里族怎麼去戰鬥的時候，都覺得這是一件『要嘛全都參加，要嘛全都不參加』的事情，可事實並非如此。如果你不想戰鬥，那就不必非得去戰鬥，我完全理解這一點。」

那個老人好像得到了些許安慰。

莉莎繼續說道：「但是，那是因爲你還可以依賴守護者。有很多莫里族人沒有人可以依賴，如果他們想學習自我保護的方法，也沒有理由不讓他們這麼做。」

那個年輕人露出洋洋得意的笑容，看著他的對手。「你看吧！」

「沒有那麼簡單。」銀髮老人繼續說，「如果你們這群瘋子眞的那麼想自尋死路的話。好，沒問題。但是你們要去哪裡學習那些所謂的戰鬥技巧呢？」

「魔法的部分我們可以自己慢慢摸索，守護者能夠教我們實用的身體格鬥技巧。」

「對，看見了嗎？我就知道是這種答案。就算我們這些人不去摻和你們那種找死的事情，你們還是會想從我們身邊調走守護者，去訓練你們這些冒牌軍隊。」

那個年輕人被「冒牌」兩個字激怒了，我盤算著會不會又有一場架要開打了。「你欠我們的。」

「不，他們不欠任何人。」莉莎說。

憤怒的目光都集中在她身上，這一次，輪到那個銀髮老人得意洋洋地笑了，年輕人的臉上寫滿了憤怒。

「守護者是我們能找到的最好的格鬥老師。」

「沒錯。」莉莎非常同意。「但這並不代表你們有權利讓他們放棄自己的職責。」銀髮老人頭點得都快掉了。

「那我們怎麼學？」其他幾個人問道。

「和守護者一樣。」莉莎明確地告訴他，「如果你想學習如何戰鬥，就去上學。在課堂上，從頭學起，就像現在實習生所做的那樣。如此一來，就可以避免讓守護者離開他們保護的主人，在安全時期，出色的守護者還是可以去學院教課。」她想了一會兒，繼續說：「甚至可以馬上著手準備，爲現在仍在學院的莫里學生制定一個防禦課程的教學標準。」

所有人都驚訝地看著她，包括我在內。這是一個非常睿智的解決方案，我們身邊的每個人都意識到了這點，它雖然沒有百分之百地滿足任何一方的要求，但是這種折衷的方式也不會傷害任何一方的利益。

絕對的天才！其他人都仔細地打量著莉莎，充滿好奇和崇拜。

突然，所有人都開始說話，爲這個主意興奮不已。他們將莉莎拉了進來，很快就熱烈地討論起她的計畫。我被擠在了人堆外，心想：這樣也不錯！我遠離這些人，覺得門邊有一個角落很適合我待。

我朝那裡走去，一路上經過許多托著盤子的服務生。肚子還是很餓，我警惕地看著他們盤子裡的食物，覺得上面沒有像那天的鵝肝之類的東西。我看見一個女服務生托著一盤好似烘焙過的東西，中間夾了很少一點肉。

「夾的是鵝肝嗎？」我問。

她搖搖頭。「甜麵包。」

好像還不賴！我拿了一個。

「那是胰臟。」一個聲音在我背後響起，我猛地回過頭。

「什麼？」我咬著牙問道。那個女服務生將我的震驚當成了拒絕的表示，邁步繼續向前走去。

艾德里安出現在我眼前，對自己的話造成的效果非常滿意。

「你是在嚇唬我嗎？」我問道，「甜麵包是胰臟做的？」我不知道自己爲什麼這麼震驚。莫里族喜歡血液，怎麼會不喜歡胰臟呢？可我仍然很吃驚。

艾德里安聳聳肩。「味道眞的很不錯。」

我厭惡地甩了甩頭。「哦，老天！有錢人眞噁心！」

他仍然很高興。「妳在這裡做什麼？小拜爾，妳在找我嗎？」

「當然不。」我奚落地說。他的穿著一如既往，十分完美。「特別是在你給我們帶來這麼多大麻煩之後，就更不會了。」

他展露出迷人的微笑，不管我之前有多麼生氣，此刻卻又有了想要親近他的感覺。這到底是怎麼一回事？

「我怎麼不知道。」他揶揄說。

此刻的他看起來十分正常，沒有表現出我在他房間見到的那種怪誕行爲，而且，呃……他穿燕尾服的樣子，比我在這裡見到的其他穿燕尾服的人都要好看！

「我們好像一直都能碰見對方，這是第幾次了？五次？這件事確實很可疑，不過別擔心，我不會告訴妳男朋友的，兩個都不會。」

我張大嘴想要反駁，卻猛然記起他曾經見過我和迪米特里在一起。

我理直氣壯地說：「我只有一個男朋友！呃……不過可能不再是了。總而言之，這件事沒什麼好說的，我根本不喜歡你。」

「是嗎？」艾德里安仍然面帶微笑，他俯下身，好像要告訴我一個祕密。「那妳爲什麼用了我送妳的香水？」

這一次，我眞的臉紅了。我向後退了一步。「我沒有！」

他大笑。「妳一定用了！妳離開以後，我數過，而且，我能聞出來。不錯，很香……又有點甜，我肯定妳的內心也是這樣。而且妳的作法很對，妳知道的，只要在一旁抹一點點……沒有濃烈到掩蓋住妳自身的味道。」他說「味道」這兩個字時，像是在罵人。

莫里的皇室也許會讓我很不舒服，但是那些攻擊我的混蛋可沒有這個本事。我自有對付他們的一套準則。我丟掉自己的害羞，想起了自己是誰。

「嘿！」我邊說，邊將頭髮攏到腦後。「我絕對有權利拿走一個，因爲這是你送的。你的錯誤在於，你假設我拿了一個，可這個假設並不成立，我沒有拿。也許你應該多留心一下，看你的傻瓜下人們都把你的錢花到什麼地方去了。」

「喔喔喔……蘿絲．海瑟薇要表演了，夥伴們。」他停下來，從路過的侍者手裡拿了一杯像是香檳的飲料。「來一杯嗎？」

「我不喝酒。」

「好吧！」不過他還是塞給我一杯，揮揮手令侍者退下，自己喝了一小口。我有種感覺，這不是他今晚喝的第一杯了。「那麼，聽起來我們的瓦西莉莎要將我爸爸拉進她的陣營了。」

「你……」我看著剛離開的那群人，銀髮的老人還站在那裡比手劃腳。「那個人是你爸爸？」

「我媽媽也經常說同樣的話。」

「你同意他的看法嗎？認爲莫里參加戰鬥很可能是自尋死路？」

艾德里安聳聳肩，又啜了一口。「關於這件事，我真不知道自己是怎麼想的。」

「不可能！你怎麼會一點想法都沒有呢？」

「不知道，那不是我所關心的問題，我有更重要的事要做。」

「比如跟蹤我，」我建議道，「還有莉莎。」我仍然想知道她爲什麼會在他的房間。

他又笑了。「我說過，妳才是我想跟蹤的那個人。」

「對，我知道。五次……」我停了下來，「五次？」

他點點頭。

「不對，只有四次！」我用自己空著的手，數給他看。「第一次是那天晚上，第二次是在溫泉，第三次是在你的房間，第四次是今晚。」

他的笑容變得很神祕。「如果妳願意這麼說的話。」

「我就是……」再一次，我的話沒能繼續說下去。我還和艾德里安見過一次，某種意義上是這樣。「你不會是指……」

「什麼？」他的眼中透出好奇、迫切，更多的是期待，而非放肆。

我吞了口口水，想起了那個夢。「沒什麼。」爲了不再想下去，我喝了一口香檳。隔著整間屋子，莉莎的感覺傳遞給我——冷靜、平和。很好！

「妳爲什麼笑？」艾德里安問。

「因爲莉莎還在那裡和那群人討論。」

「這不奇怪。她是那種只要她想，就能引起別人好感的人，哪怕是討厭她的人。」

我面帶譏諷地看著他。「我和你說話的時候就是這種感覺。」

「但是妳不討厭我。」他說著，喝完了杯中剩下的最後一口酒。「不是特別討厭。」

「但我也不喜歡你。」

「妳可以一直這麼說。」他向我逼近了一步，不是威脅，只是想讓我們之間變得更親密。「我可以接受這一點。」

「蘿絲！」

突然，我媽媽尖利的聲音傳了過來。幾個聽見她叫我的人都轉頭看著我們這邊。我媽媽怒氣沖沖地向我們走來，她已經處於五級憤怒的狀態了！

17

「妳知道妳自己在做什麼嗎？」她質問道，嗓門還是很大，隔得很遠我都能聽得一清二楚。

「什麼事都沒有，我……」

「請原諒我們！伊瓦什科夫殿下。」她低吼著說。然後，我像一個五歲的孩子，被她拽著胳膊，飛快地拉出了宴會廳，香檳從杯子裡灑了出來，弄濕了我的洋裝。

「妳知不知道妳在做什麼？」我們走進大廳之後，我對她吼道。我傷心地看著自己的洋裝。

「這是綢子的，妳不能弄壞它！」

她奪走我手中的香檳，放在旁邊的桌子上。「很好，這樣妳就不會穿得像個廉價的婊子了。」

我氣得渾身發抖。「這太過分了！妳什麼時候變得這麼有母愛了呢？」我指著洋裝，「而且，它可不廉價，塔莎送給我的時候，妳還覺得很不錯。」

「那時我沒想到妳會把它穿出去，讓妳在莫里族中到處炫耀！」

「我沒打算炫耀什麼，而且，它並不暴露。」

「一套緊成這樣的洋裝，和露很多沒有什麼區別。」她回答說，而她自己……當然了，還是穿著守護者的一身黑：筆挺的黑色亞麻褲和同色系的運動夾克。她的身材還算不錯，但是被這種衣服掩沒了。

「尤其妳還和那群人混在一起，妳的身材……很惹火，和莫里打情罵俏也不能改變什麼。」

「我沒有和他打情罵俏！」

她的指責讓我變得火大，我覺得自己最近的表現已經很不錯了。過去的我，總是和追求我的莫里族男生調笑，有時還做點別的事情。但是在和迪米特里談過幾次話，並且遇上了一場令人尷尬的意外之後，我想通了那是多麼愚蠢的一件事。

拜爾族的女生一定要很小心莫里族的男生——我到現在爲止一直牢記在心！

我的小心眼再次發揮作用。「可是，」我語帶嘲諷地說，「這難道不是我應該做的事嗎？勾引一個莫里，然後爲拜爾族添丁——妳就是這麼做的。」

她低吼起來：「但不是在妳這個年紀！」

「妳那時只比我大幾歲！」

「別做傻事，蘿絲。」她說道，「妳現在太小，不適合生小孩，妳也沒有體驗過那種……妳自己的人生甚至還沒有正式開始，妳還沒有能力，雖然妳以爲妳做得到。」

我呻吟出聲，覺得有些屈辱。「我們眞的要討論這種事嗎？我們怎麼從調情突然說到這種事上？我沒有和他上床，也沒和任何人上過床。就算我眞的這麼做了，我也知道要怎麼避孕。爲什麼妳一直把我當成小孩？」

「因爲妳表現像個小孩。」這句話迪米特里也對我說過。

我瞪著她。「這麼說，妳打算現在把我送回房間了？」

「不是的，蘿絲。」她突然顯得有些疲倦。「妳不必回房間，但也別回那裡。希望妳沒有引起太多人的注意。」

「妳說得好像我是個交際花一樣。」我說，「我不過是陪莉莎去參加晚宴。」

「等流言滿天飛的時候，妳才知道什麼叫捕風捉影。」她警告我說，「特別是和艾德里安・伊瓦什科夫在一起。」

說完，她轉身向大廳的另一頭走去。我看著她的背影，心裡生起一股無名的怒火和怨恨。她反應過度了吧？我又沒做錯什麼。我知道她對吸血妓女很抗拒，但這次也太過分了，哪怕是出於一個母親的立場。

最悲慘的是，她把我從宴會廳裡生拉硬拽出來，有很多人都看見了這一幕。本來我還不是那麼引人注目，她這麼做正好幫了倒忙！

從宴會廳走出來幾個莫里族人，他們當時就站在我和艾德里安旁邊，向我站的方向看了一眼，一邊走，一邊竊竊私語。

「謝了！媽媽。」我對自己小聲說。

我覺得很難堪，大步向另一邊跑去，漫無目的地狂奔。我一直跑到大廳的後面，離所有熱鬧喧嘩的地方遠遠的。

我跑到了大廳的盡頭，左邊有一扇門，通向別的地方。門沒有鎖，我順著樓梯走到了另一扇門前，有些喜出望外，因為這扇門的後頭是一個屋頂的小平台，平時應該沒什麼人會來，上面鋪了厚厚一層積雪，不過現在已經是第二天清晨，陽光明媚，所有的東西都泛著微光。

我掃開了一大片雪，將它們推進一個像是通風口的方形盒子中，不再在意身上的衣服，一屁股坐了下去，雙手緊緊環抱著自己，直愣愣地發呆，看著平日欣賞不到的陽光下的風景。

幾分鐘之後，門開了，我嚇了一跳，轉過頭，又嚇了一跳。

迪米特里從門裡走了出來，我的心小跳了一下，轉回頭，腦子一片空白。他的靴子嘎嚓嘎嚓踩在雪地上，走到我身邊，又過了一會兒，他脫下長長的大衣，披在我的肩上。

他坐在我旁邊。「妳肯定凍壞了！」

確實，可我並不想承認。「有太陽呢！」

他抬起頭，看著湛藍的天空，我知道他和我一樣，有時會很懷念陽光。「是呀！可是現在我們畢竟還在深山老林裡，而且是冬天。」

我沒有說話，就這麼靜靜地坐著，享受這片刻的寧靜。偶爾，會有一陣微風推送著雲彩飄過。對莫里族來說，此時是黑夜，是進入甜蜜夢鄉的好時候，所以整個滑雪場一片寂靜。

「我的生活就是一場災難！」我打破了沉默。

「算不上是災難。」他機械地回答。

「你是從晚宴上追過來的嗎？」

「是。」

「我不知道你也在。」他的黑色制服告訴我，他一定是去工作。「這麼說，你看見大名鼎鼎的珍妮帶我走時引起的騷動了？」

「沒有騷動，幾乎沒引起別人的注意。我知道，是因為我一直在看著妳。」

我不允許自己聽了他的話就被沖昏頭。「她不是這麼說的。」我說道，「在她看來，我要是一直縮在角落裡就好了。」

我將大廳裡的那場對話講給他聽。

「她只是擔心妳。」迪米特里聽完後對我說。

「她太過分了。」

「有時候媽媽們會保護過度。」

我盯著他。「對，可這回是我的媽媽，她的行為不像是要保護我，真的，我覺得她更擔心我會令她難堪，或者讓她丟臉。她的那些『做媽媽還太早』的說辭更是狗屁！我根本就不會做出那種事。」

「也許她說的不是妳。」

我驚得目瞪口呆。

「妳也沒有體驗過那種……妳自己的人生甚至沒有正式開始，妳還沒有能力，雖然妳以爲妳做得到。」

我媽媽生下我的時候只有二十歲，小時候，我覺得二十歲已經很老了，可是現在……再過幾年我也二十了，一點都不老。

她認爲太早生下我了嗎？她那時沒有撫養我，是因爲不知道怎麼做嗎？她是不是後悔我們兩個之間的相處方式了？還有……是不是她和莫里男生在一起的時候，被別人說了閒話？

我嘆了口氣，不願意再想下去，如果再想下去，我可能要重新思量我們兩個之間的關係了，也能將她當做一個普通人來看待。我最近在與人相處方面的麻煩已經夠多了，莉莎一直很擔心我，爲了讓我不再費心，自己強裝堅強。我和梅森所謂的羅曼史也是剪不斷理還亂。而且，還有迪米特里……

「我們現在竟然沒有打架！」我脫口而出。

他用餘光看了我一眼。「妳想要打架嗎？」

「不，我討厭和你打架，我是說，吵架，不是體育館裡的那種。」

我想他是笑了一下，他對我總是這麼含蓄，從沒有開懷大笑過。「我也不喜歡和妳打架。」

我緊捱著他，發覺自己心裡升起一絲溫暖和幸福。在他周圍的感覺非常美妙，這是與梅森在一起時所沒有過的。感情不能強迫，愛就是愛，不愛就是不愛。如果不愛，你必須要老實承認；如果愛，爲了保護自己的愛人，粉身碎骨也再所不辭。

第二個念頭一冒出來，我自己都嚇了一跳。爲了它涵蓋的無私，也爲了我是認眞這麼想的。

「你應該接受。」

他裝著聽不明白。「什麼？」

「塔莎的邀請。你應該接受她的邀請，這確實是個難得的好機會。」

我記起媽媽說的那些生小孩要有準備的話。我沒有準備好，也許她也沒準備好，但是，塔莎不一樣，迪米特里也不一樣，他們兩個在一起非常合適，他可以守護著她，和她生幾個孩子……這對他們兩個來說都是件好事。

「我沒想到能聽妳說出這番話。」他乾巴巴地說，「特別是在……」

「我做了那些蠢事之後？對。」我裹緊了他的大衣，上面有他的味道，令人陶醉，我可以放任自己想像是被他抱在懷裡。「嗯，就像我說的，我不想再打架了，我不希望我們兩個都厭惡彼此。而且……呃……」我用力閉上眼睛，然後張開。「不管我對我們之間的關係怎麼想，我都希望你過得幸福。」

沉默，還是沉默，我的心好痛。

迪米特里伸出手，摟住了我，我的頭枕在他的胸口。

「蘿莎。」他只說了這麼多。

這是自那次被詛咒的夜晚以來，他第一次眞正碰到我。訓練室的那次不能和這回相提並論，那比較像是出於動物的本能，而今天，並非出於情慾，只是想和關心的人變得親密，體會那種緊緊聯繫在一起的感情。

迪米特里也許會投向塔莎的懷抱，可我將一如既往地愛他、一生一世地愛他。

我很在乎梅森，但我永遠不可能愛上他。

我融化在迪米特里的懷中，希望能夠永遠這樣下去。

這個決定是正確的，且不論想到他和塔莎在一起我會有多麼傷心，能爲他作最好的打算總是沒錯的。現在，我已經明白，是到了不再懦弱下去、作出正確抉擇的時候了。梅森說過，我需要更加瞭解我自己。我做到了！

雖然不情願，我還是從迪米特里的懷中掙脫出來，將身上的大衣還給了他。我站起身，他不明所以地望著我，感覺到我的不安。

「妳要去哪？」他問。

「去傷一顆心。」我回道。

我再次充滿眷戀地看了他一眼，那洞悉一切的黑眸、那絲綢般的黑髮，然後，我走了進去。

我必須要向梅森說對不起，告訴他，我們兩個之間永遠不會有事發生。

18

腳上的高跟鞋磨得腳很痛，我一邊走，一邊把它們脫下來，光著腳走回大廳。

我沒去過梅森的房間，但是聽他提起過一次房間號碼，於是一路找過去，發現並不難找。

我敲門，過了一會兒，門開了，開門的是梅森的室友謝恩。「嘿，蘿絲。」

他為我讓開一步，我走了進去，打量著四周。電視上播著直銷廣告，夜間活動有一個缺陷，就是沒有好的電視節目可看，所有能放東西的地方都擺滿了空汽水罐，到處都見不到梅森的影子。

「他人呢？」我問道。

謝恩打了個哈欠。「我以為他跟妳在一起。」

「我已經整整一天沒看見他了。」

謝恩又打了個哈欠，皺著眉頭苦想。「他之前收拾了行李，我以為你們打算做點超級羅曼蒂克的事，比如野餐什麼的。嘿！洋裝很好看！」

「謝謝。」我小聲說，自己也擰起了眉頭。

收拾行李？這根本毫無意義。外面沒有地方可去，而且，這個滑雪場和學院一樣，被嚴密地看守起來。我和莉莎上次能夠順利跑掉，唯一的辦法就是催眠術，現在想起來還很不舒服。

可是，如果他不能離開這裡，爲什麼要收拾行李呢？

我又問了謝恩幾個問題，決定繼續追查這件雖然瘋狂，但又可能發生的事情。我找到負責安排人員和值班安排的守衛，他給了我梅森最後露面時幾個值班守衛的名字，大部分的人我都認識，他們現在都已經下班，要找到很容易。

不走運的是，第一組人今天沒有見過梅森。他們問我爲什麼要找他，我敷衍了幾句，然後趕緊跑掉了。我名單上第三個要找的人叫艾倫，在學院時，他通常負責低年級生的守衛工作。他剛剛從滑雪場歸來，忙著將器具擺放在門邊，看見我過來，聽到我的問話後笑了起來。

「當然，我見過他。」他說著，彎腰去解靴子上的鞋帶。

我鬆了一口氣，直到這時才意識到剛才自己有多麼擔心。

「你知道他去哪裡了嗎？」

「不。我讓他和愛迪……還有，叫什麼來著？那個瑞納蒂家的女生，從北門出去了，然後我就再也沒見過他們了。」

我難以置信地看著他。艾倫繼續忙收拾他的滑雪服，好像我們談論的是適合滑雪的天氣一樣。

「你讓梅森、愛迪……和米婭出去了？」

「對。」

「呃……爲什麼？」

他沒有說話，抬頭看著我，臉上露出一種傻兮兮的、半帶幸福的笑容。「因爲他們求我。」

一絲寒意從腳底穿過全身，我又從名單上翻出和艾倫一起看守北門的守衛姓名，馬上找到了他。他也給了我同樣的回答。他讓梅森、愛迪和米婭出去，什麼都沒問，而且，和艾倫一樣，他也不覺得這麼做有什麼問題。

他幾乎處於一陣迷茫的狀態，這種表情我以前見到過……當莉莎對別人使用催眠術的時候，那個人就會露出這樣的表情。尤其是莉莎不想讓別人記得發生過這件事的時候，這個表情就會更加明顯。

她能夠抹去這些人的記憶，有時候是完全抹去，有時候可以讓他們過了很長一段時間之後才想起來。她的催眠術法力非常強，一般沒有人能夠再想起來這件事。現在，這些守衛還殘留著部分的記憶，也就是說，爲他們催眠的人，是能力不是很強的人。

比如說……米婭！

我不是那種動不動就暈過去的人，不過這一刻，我幾乎要昏厥過去，整個世界天旋地轉。我閉上眼睛，深呼吸，當我再次睜開眼睛的時候，我的周遭停止了旋轉。

好，沒關係，我會查出眞相的！

梅森、愛迪和米婭今天一早就離開了，不止這樣，他們是用了催眠術才得以溜出去的，這可是絕對不被允許的事！

他們是從北門溜走的，我看過整個滑雪場的地圖，北門外是一條小路，通往方圓十里唯一一條主要的公路。這條公路是條小型的高速公路，通往十二英里之外的一個小鎮，就是梅森說過可以去搭大巴的那個小鎮。

他們要搭公車去斯波坎！

斯波坎——那群血族和他們人類幫手可能藏身的地方。

斯波坎——梅森可以實現他不切實際的夢想，和血族硬碰硬的地方。

斯波坎——他從我嘴裡聽到這個地名的地方。

「不！不！不！」我喃喃自語，拔腿狂奔向我的房間。

我衝進房間，脫掉洋裝，換上一身厚厚的冬衣：靴子、牛仔褲、毛衣，然後抓起大衣和手套，匆匆忙忙跑向門邊，跑到一半又停了下來。

我這麼做有些衝動，我眞正的目的是什麼？我必須要通知某些人，毫無疑問……但是，這會給那三個人惹上麻煩。也會將我私自跑走，而且到處八卦斯波坎有血族這件事洩露給迪米特里知道，他可是基於信任，認爲我可靠，才將這件事告訴我的！

我看了看時間，離整個滑雪場的人都知道我們失蹤了，還有一段時間——如果我眞的能順利從滑雪場溜出去的話。

幾分鐘之後，我不知不覺地來到克里斯蒂安的門前，用力敲著。他走過來開門，睡眼惺忪，但臉上帶著一如既往冷嘲熱諷的表情。

「如果妳是來替她道歉的，」他擺出一副高高在上的樣子對我說，「那麼妳可以走了……」

「閉嘴！」我飛快地打斷他，「鬼才懶得理你的事！」

我一古腦兒地將事情的經過告訴了他，他連插話的機會都沒有。

「這麼說……梅森、愛迪和米婭去斯波坎找血族去了？」

「對。」

「見鬼了！為什麼妳不跟他們一起去？」

我努力壓下自己的譏諷。「因為我還沒瘋！不過我會趕在他們做出更愚蠢的事情之前，把他們找回來。」

這下輪到克里斯蒂安覺得事情不妙了。「妳希望我幫妳做什麼？」

「我需要躲過滑雪場的守衛，他們被米婭催眠，我希望你幫我做同樣的事，我知道你曾經練習過。」

「我是練過。」他點頭說。「但是……呃……」第一次，我在他臉上見到一絲尷尬。「我並不是很擅長這件事，而且對拜爾族催眠成功的機率幾乎為零！莉莎的能力比我強上一百倍，可能任何一個莫里族都比我強。」

「我知道，可我不想將她捲進來。」

他不屑一顧地說：「可妳不介意把我拉下水。」

我聳聳肩。「是不怎麼介意。」

「妳倒是挺有主意的，妳知道這點嗎？」

「對，知道，眞的。」

就這樣，五分鐘之後，我們兩個偷偷摸摸來到了北門。太陽已經高高升起，所有人都進了屋，這是個好消息，我希望這樣可以讓我比較容易溜出去。

笨死了！笨死了！我心裡一直嘀咕道。

這會讓我們丟人丟到家。梅森爲什麼要這麼做？我知道他一直對這件事有著瘋狂的執著……他當然會對守衛不能主動出擊而感到失望難過，不過，就算這樣，他也不能做出如此瘋癲的舉動啊！他肯定知道這是多麼危險的一件事。

有沒有可能……是因爲我的拒絕令他傷透了心，所以才將他推上了這條絕路，讓他有足夠的理由說服愛迪和米婭和他一起？說服那兩個人不是什麼難事，愛迪可以跟梅森去任何地方，而米婭可能是這個世界上對梅森能找到血族，並且殺死他們這件事最感到起勁的一個人了。

現在，我能想到的各種問題裡，只有一個問題的答案非常明顯，那就是——是我告訴梅森，血族在斯波坎的。毫無疑問，這筆帳要算到我的頭上，如果不是我，這些事就都不會發生！

「莉莎通常是直接看著他們的眼睛。」到北門的時候，我教克里斯蒂安。「然後用一種非常……呃……冷靜的聲音對他們說話。其他的，我就不知道了。我是說，她也很努力地集中注意力，快去試試，將你的注意力集中，把你的意志強迫灌輸給他們。」

「我知道。」他不耐煩地說，「我也見她這麼做過。」

「很好。」我也不耐煩地對他說，「快去幹活。」

我瞇著眼睛，看見門前只站著一個守衛，眞是意想不到的走運！他們正在換班的時候。外面太陽這麼好，血族的威脅基本就不存在了。守衛仍然要堅守崗位，但是偶爾可以休息一下。

那位守衛的警惕性看起來不是很高。「你們這兩個孩子來這裡做什麼？」

克里斯蒂安吞了口口水，我能看出他的緊張。

「你要放我們出去！」他說，聲音緊張得直發顫，不過公平點說，他仍然試圖在模仿莉莎平靜的語調。

不幸的是，他的話對守衛沒什麼影響，就像克里斯蒂安自己說的，他的話對守護者基本上不起作用。

米婭的運氣眞是太好了！守衛看著我們，咯咯地笑。

「什麼？」他問道，很明顯覺得這件事很有意思。

克里斯蒂安又試了一次。「你要放我們出去！」

守衛的笑容稍微收斂了一下，我看見他驚訝地眨了眨眼，眼睛並沒有露出別人被莉莎催眠時的那種茫然，不過，克里斯蒂安已經盡了自己最大努力了。

眞是不幸！我只能這麼說，他的努力並不足以讓守衛放我出去，然後將這件事忘乾淨。走運的是，我受的訓練可以幫我「說服」別人，根本不用靠魔法。

守衛的一旁放著一個特大號的手電筒，大概有兩英尺長，差不多七磅重。我抓起手電筒，向他的後腦勺打去，他哼了一聲，倒在地上。

他很可能沒有注意我的接近，直到我做了那件恐怖的事情爲止。我多少有些希望我的導師能夠看見這一幕，看看我剛剛做出了多麼漂亮的一擊。

「老天！」克里斯蒂安叫道，「妳剛剛突襲了一個守護者！」

「對，」在沒有人被發現之前，是時候讓他回去了。「因爲我不知道你的催眠術這麼差。回來我會承擔後果的，謝謝你的幫忙，你最好在下一批人到這裡之前趕快回去。」

他搖搖頭，一臉苦相。「不，我要跟妳一起去。」

「不行！」我爭論道，「我只需要你幫我走出大門，不希望把你也捲進這件事裡！」

「我已經捲進來了！」他指著那個守衛說，「他已經看清楚我的樣子，早晚都是一死，我還是幫妳安全度過今天吧！別再囉哩囉嗦的了！」

我們匆忙離開之前，我回頭充滿歉意地看了那個守衛最後一眼。我心裡十分清楚，這一擊不會眞的給他造成傷害，而且，陽光這麼明媚，他待在這裡不會被凍壞的。

我們沿著高速路走了大概有五分鐘，然後，我意識到問題出現了——雖然我們戴著太陽眼鏡，但是，陽光仍然直射在克里斯蒂安身上，這令我們的速度慢了下來。

照這樣下去，我們還沒有找到那三個人，別的守護者就會找到我們了！

突然，有一部車出現在我們身後，不是學院的，我心裡有了主意。

其實我並不贊成隨便搭順風車，我知道這麼做有多麼危險，不過，我們需要盡快趕到鎮上，而且，就算有人找麻煩，我和克里斯蒂安也有能力搞定。

還好，車子停下來以後，上面是對中年夫婦，人看起來很好的樣子。「你們兩個孩子沒事吧？」

「我們的車子從路上翻下去了，能載我們到鎮上，我好去找我爸爸幫忙嗎？」

他們相信了我的話，十五分鐘以後，他們將我們放在加油站。他們非常樂於助人，我很難讓他們直接將我們載到小鎮上。終於，他們相信了我們沒什麼事，放心地走了。

我們又走了幾條街才到公車站，正如我所預料的，這個小鎮算不上是眞正的交通重鎮，鎮上只有三條公車路線：兩條通往滑雪場，一條通往愛荷華州的羅斯頓。在羅斯頓，你可以換車去別的地方。

我曾經抱有僥倖，希望能趕在梅森他們上車之前找到他們，這樣我們可以不露痕跡地一起偷偷溜回滑雪場。但，事與願違，公車站上沒有他們的身影，售票處的人聽我們描述完這三個人的樣子，證實他們已經買了從羅斯頓前往斯波坎的車票。

「該死！」我說。售票員聽我蹦出髒話，揚起了眉毛。我轉身看著克里斯蒂安。「你有買車票的錢嗎？」

我和克里斯蒂安一路上並沒有怎麼交談，我只對他提起了在莉莎和艾德里安這件事上，他有多白癡。抵達羅斯頓之後，我發現他已經想通了，這眞像是個奇蹟！

前往斯波坎的路上，他一直在睡覺，我可睡不著，我一直在想，這些事都是因爲我，我要對此負責！

我們抵達斯波坎的時候已經接近傍晚，我問了好幾個人，最後才找到了一個知道迪米特里說的購物中心在哪裡的人。雖然離我們所處的公車站不近，不過步行還是可以到達。

在經過差不多五個小時的長途顚簸之後，我的腿已經麻木了，走一走也好。而且，還有一段時間太陽才會下山，不過此時的溫度和光線對吸血鬼來說已經可以接受，克里斯蒂安也不介意走過去。

我情緒穩定的時候，總會不自覺地進入莉莎的意識。我放任自己繼續留在那裡，因爲我想知道滑雪場裡現在是什麼情況。

「我知道妳想保護他們，可我們必須知道他們在哪。」

說話的人是迪米特里，透過莉莎的眼睛看見他，非常有意思。她對他十分尊敬，和我每次見到他就緊張、手足無措的感覺不同。

莉莎坐在我們房間的床上，迪米特里和我媽媽低頭看著她。

「我說過了，」莉莎說，「我不知道！我不知道到底發生了什麼事！」

她心裡充滿了對我們的擔心和緊張。看見她這麼焦慮，我很難過，可同時，我也很慶幸自己沒有讓她捲進來，她從來就不會說謊話。

「我不相信他們沒有告訴妳，他們去了什麼地方。」我媽媽說。她的聲音平靜，臉上卻露出一絲擔心。「特別是妳們……還有心電感應！」

「那只是單向的。」莉莎悲傷地說，「妳知道的。」

迪米特里單膝跪在莉莎身邊，這樣他們兩個可以平視，他也能看到莉莎的眼神。他一定很喜歡用這種方法和別人對視。

「妳眞的什麼都不知道？沒有一點可以告訴我們的消息嗎？他們不在小鎮上，公車站的那個男人也沒見過他們……我們認爲他們一定是早就從小鎮上離開了。我們需要線索，任何能夠找到他們的線索。」

公車站的男人？這是另一個意想不到的好運！賣給我們車票的女人一定是下班回家了，接替她的人沒見過我們！

莉莎露出她的尖牙，有點生氣。「難道你認爲如果我知道些什麼的話，會不告訴你嗎？難道你以爲我不擔心他們嗎？我一點都不清楚他們在哪！至於他們爲什麼要走……現在說這些也沒有用了，最要緊的是，他們那些人爲什麼要帶著米婭？」

一陣心痛透過心電感應傳了過來，她是在爲我們將她獨自一個人留下而傷心，不是因爲我們做錯了什麼。

迪米特里嘆了口氣，跪坐在腳跟上。從他的表情可以看出他相信莉莎說的話，還能看出他很擔心，那種擔心超過了守護者應該擔心的範圍。看見他的這種表情、這種擔心，我的心都碎了。

「蘿絲？」克里斯蒂安的聲音將我帶回了現實。「我們到了，我想。」

購物中心的前面是一棟大廈，主建築的一角坐落著一家咖啡店，外頭擺放著幾張桌椅，大量的人進進出出，雖然到了這個時候，這裡仍然繁華、嘈雜。

「那……我們怎麼找他們？」克里斯蒂安問。

我聳聳肩。「也許我們可以裝成血族，他們自己就會拿著銀樁找上門來了。」

他的臉上顯出一個小小的、不自覺的微笑。雖然很不情願承認，但他顯然認爲我的這個笑話十分好笑。

我們兩個走了進去。和所有的購物中心一樣，裡面一間一間的，都是十分熟悉的品牌連鎖店。

我暗暗打起了小算盤，也許等我們找到那群人之後，還有時間可以逛一逛。

我們兩個來回走了兩遍，並沒有發現我們朋友的行蹤，也沒有找到類似暗道的地方。

「可能我們來錯地方了！」我最後開口說。

「也許地方沒錯，」克里斯蒂安猜測說，「他們可能是去其他地方……等等！」

他指著前方，我順著他的手勢看過去，在食物區中間的桌子邊，坐著那三個逃跑的人，一個個都顯得十分沮喪，看起來糟透了，我幾乎要替他們覺得難過。

我們向那三個人跑過去，心裡大大地鬆了一口氣。顯而易見，這三個人沒有找到血族，他們還活著，也許能在事態繼續惡化之前，和我一起回去。

我差不多已經走到跟前了，他們才發現我。

愛迪猛地抬頭。「蘿絲，妳怎麼會在這兒!?」

「你們幾個都瘋了嗎？」我喊道，旁邊的幾個人向我們投來異樣的目光。「你們知道自己闖了多大的禍、給我們又帶來了多大的麻煩嗎？」

「妳到底是怎麼找到我們的？」梅森壓低嗓門問我，一邊緊張地看著四周。

「你們幾個還不是犯罪的料。」我告訴他們，「你們留在公車站的痕跡出賣了你們，除此以外，我還知道你們到這裡來，是爲了實現你們毫無意義的血族追殺夢。」

梅森的表情說明他和我在一起仍然不是很高興，不過，回答我的人卻是米婭。

「這不是毫無意義。」

「哦？」我反問道，「你們殺死血族了嗎？你們找到一個血族了嗎？」

「沒有。」愛迪老實說。

「很好。」我說，「那是你們運氣好！」

「爲什麼妳這麼反對追殺血族？」米婭不滿地問。「這就是你們訓練的目的嗎？」

「我參加訓練是爲了執行正常的任務，不是爲了這種幼稚的自我炫耀。」

「這一點都不幼稚！」米婭喊道。「他們害死了我的媽媽，守護者卻什麼都做不了，就連他們的情報都是錯的，暗道裡根本沒有什麼血族，很可能這整座城裡連一個血族都沒有！」

克里斯蒂安像是想到了什麼。「你們找到暗道了？」

「是啊！」愛迪說，「就像米婭說的，那裡什麼都沒有！」

「在走之前我們應該去看看。」他對我說，「這件事很酷，如果情報眞的是錯的，不會有什麼危險的。」

「不行！」我飛快地說，「我們得回去，馬上！」

梅森有些疲倦。「我們打算將整個城市都找一遍，就算是妳也不能讓我們回去，蘿絲。」

「對，不過一旦我打電話回去，告訴他們你們在哪，學院的守護者就會來把你們帶走的。」

打匿名電話，或者發匿名信，效果都是一樣的。他們三個看著我的表情，好像我同時打得他們三個腸穿孔。

「妳眞的要這麼做？」梅森問，「妳打算出賣我們？」

我翻了個白眼，想著自己爲什麼要讓自己聽起來好像很理智的樣子。那個不顧一切從學院逃跑的女生去哪兒了？梅森說得對，我是變了。

「這跟出賣你們無關，這麼做是在救你們的命。」

「妳覺得我們就那麼一無是處嗎？」米婭問道。「妳覺得我們最後一定會死翹翹？」

「對。」我說，「除非妳找到了可以將水當作武器的方法！」

她雖然很惱火，但也沒再說什麼。

「我們帶著銀椿呢！」愛迪說。

太妙了！他們一定是從別人那裡偷出來的。

「梅森，拜託！宣佈行動取消，我們回去。」我滿懷希望地看著梅森。

他看著我好長一段時間，最後嘆了口氣。「好吧！」

愛迪和米婭嚇呆了，梅森倒是很享受在這幾個人中間扮演領導者的角色。失去了梅森的支持，他們兩個也不那麼堅持了。

最難接受這點的是米婭，我很替她難過，在這之前，她幾乎沒有任何機會能爲她媽媽報仇，這次對她來說，就像是抓住了救生的木板，可以平復自己心中的傷痛。回去之後，她要面對更多的事了！

克里斯蒂安仍然興致勃勃地想去暗道裡看一看，考慮到他經常把自己關在閣樓裡，我對他這麼想一點都不覺得奇怪。

「我看過時間表了。」他對我說，「離下一班公車來還有一點時間。」

「我們不能踏進血族的地盤！」我說著，向購物中心的門口走去。

「那裡沒有血族。」梅森說，「真的只是一些管道之類的東西，沒有任何可疑的地方，我真的覺得是守護者的情報有問題！」

「蘿絲。」克里斯蒂安說，「我們去吧！體驗一下探險的樂趣。」

所有人都看著我，我覺得自己像是百貨商店裡，不給孩子買糖吃的母親。

「好吧！不過，看一眼就走。」

那幾個人領著我和克里斯蒂安向購物中心的另一頭走去，我們穿過一扇寫著「員工使用」標記的門，躲過了幾個警衛，溜進了另一扇門，那裡有通往地下的樓梯。有一瞬間，我覺得這種情景似曾相識，我想起了那天去參加艾德里安溫泉派對的時候，只不過現在腳下的樓梯更髒，味道也更難聞。

我們走到下面，暗道並不多，但很窄，堆滿了髒兮兮的結成塊的水泥。牆上偶爾會有埋在牆體裡的難看螢光燈，我們左右各有一條走道，周圍到處都是清潔用品的箱子和電力設施。

「看見了吧？」梅森說，「非常無聊。」

我指了指兩邊，「這裡面都是什麼？」

「什麼都沒有。」米婭唉聲嘆氣地說，「我帶你們去看。」

我們先往右邊走，沒發現有什麼新鮮的。我已經開始在心裡同意他們的說法，覺得這裡很無聊了。

我們繼續走，經過了一面磚上刻滿字的牆，我停下來看著那些字，上面列了一串字母——

Z D L V D T O C B D

S
I

有幾個字母後面打了個×，不過彼此之間都沒有什麼符合邏輯的關聯，米婭看出我很緊張。

「可能只是一些管道上的記號。」她說，「也可能是黑社會的人刻的。」

「可能吧！」我說著，眼睛仍然盯在上面。

其他人都一副無所謂的神情，不明白我爲什麼跟這幾個各不相干的字母過不去。我也不明白自己爲什麼這麼緊張，只是心裡有某個聲音一直勸我在這裡留下來。

突然間，我明白了！

B代表巴蒂卡，Z代表澤克羅斯，I代表伊瓦什科夫，這上面寫的，是每個皇室名稱的開頭字母！

看著這份名單，很容易就想到這是按照家族規模大小排列的。排在前面是人口比較少的家族，德拉格米爾、巴蒂卡、康塔，然後一直排到人口眾多的伊瓦什科夫家族。我不明白這些字母旁邊的破折號是什麼意思，可我很快注意到那些一旁帶有小×的名字：巴蒂卡和德拉格米爾。

「我們必須離開這裡！」我說，被自己的聲音嚇了一跳。「馬上！」

其他人驚訝地看著我。

「爲什麼？」愛迪問，「發生什麼事了？」

「待會兒再告訴你們，我們必須馬上走！」

梅森指著我們要走的方向。「從這裡出去可以少走幾條街，離公車站也近一點。」

我看了看黑漆漆的前方。「不！」我說，「我們從來的地方出去。」

我們往回走的路上，他們看著我，就像在看一個瘋子，但是，誰都沒有問我什麼。我們摸回了購物中心，看見外面還有陽光，我大大地鬆了一口氣，雖然陽光已經失去了熱度，所有的建築物都被它披上了一層橘色，不過，這些陽光已經足夠幫我們走到公車站，而不至於碰見血族，陷入真正的危險之中。

我現在知道，斯波坎是眞的有血族存在了，迪米特里的情報是準確的。我不知道那個名單具體是什麼意思，能確定的就是它和前幾次襲擊有關。我必須馬上向別的守護者報告，而在我們安全抵達滑雪場的度假酒店之前，我肯定不能對這些人說實話，梅森如果知道了這些，肯定會馬上回到暗道裡的！

我們在走回公車站的路上，一路默默不語。我沉浸在自己的想法中，沒有注意到其他人，就連克里斯蒂安都好像失去了嘲諷的能力。我內心洶湧澎湃，一會兒覺得憤怒，一會兒覺得內疚，不斷重新審視我在這一切事情中扮演的角色。

愛迪走在我前面，他突然停住了腳步，我差點撞上了他。

他看看四周。「我們在哪兒？」

我飛快地從自己的情緒中脫離出來，看著四周，不記得見過這些建築物。

「該死！」我叫道，「我們迷路了嗎？難道你們沒人注意我們往什麼地方走嗎？」

這個問題問得有失公允，我自己也沒有注意過，可一股無名的怒火令我將這些話脫口而出。

梅森看我看了好久，然後指道：「這邊。」

我們轉身，走進一條夾在兩棟建築物之間的狹窄小道上。我覺得這條路也不對，可是沒有更好的辦法，我可不想站在原地不停地吵架。

我們沒走多遠，身後響起了引擎和輪胎的摩擦聲。米婭在我還沒有看見過來的是什麼東西之前，就自發地行動了，我一把拽過她，將她從馬路中間推開，壓在建築物的牆壁上。男生們也立刻效法，做出同樣的舉動。

一台大型的、玻璃貼了黑膜的灰色卡車從拐角處出現，向我們的方向駛了過來。我們緊緊平貼在牆上，等著車子從我們身邊開過去。

但，我們並沒有等到那一刻！

車子突然停了下來，正擋在我們面前，車門推開，三個身形高大的大漢從車裡下來。我的本能反應再次起了作用，我不知道這些人爲什麼出現在這裡，也不知道他們想要什麼，但很顯然，他們並不友好，知道這些已經足夠了。

其中一個人向克里斯蒂安走去，我衝過去給了他一拳，他幾乎沒有搖晃，但我猜，他顯然很驚訝我居然能打中他，他可能沒想到像我這麼身材嬌小的人能夠造成什麼威脅。他沒再理會克里斯蒂安，朝我而來，我用餘光瞥見梅森和愛迪正和另外兩個人扭作一團，梅森立刻掏出了他偷來的銀樁，米婭和克里斯蒂安則呆站在那裡，嚇傻了。

我們的攻擊者仰仗自己的大塊頭，他們不懂我們在平日練習時被教導的那些攻擊和防守技巧，而且，他們是人類，我們拜爾的力量可要比他們強過百倍。不幸的是，我們同時受制於兩邊牆壁，沒有退路可逃，更重要的一點是，我們有無法關照到的事物，比如米婭。

和梅森糾纏了許久的那個人似乎也意識到了這點，他放棄梅森，轉身去抓米婭，直到他拿槍抵住了米婭的脖子，我才看見他手裡還有槍。我扔下自己的對手，向愛迪大喊住手。我們曾經接受過訓練，接到這樣的命令時要立刻執行，他停止了進攻，一臉問號地看著我，當他發現米婭，臉色變得慘白。

沒有比給這些傢伙一串連環拳更讓我渴望的事了，可我不能冒這個人可能會傷害米婭的險。他也知道這一點，甚至連威脅的話都免了。

他是人類，可他對我們很瞭解，知道我們要不惜一切代價保護莫里族。從我們成爲新進學員的第一天開始，就不斷被灌輸一種理念：莫里族才是最重要的！

所有人都停了下來，看看他，又看看我。很明顯，我們決定了現在該由誰來領導。

「你想怎麼樣？」我厲聲質問。

這個人將槍又往米婭的脖子上頂了頂，米婭嗚咽起來。她雖然一直說要戰鬥，可她畢竟比我身形要小，也沒有我這麼強壯，而且，她太害怕了，連動都不能動。

那個人用頭向卡車打開的車門點了點。「你們都進去，別耍什麼花樣，不然，她就完了！」

我看了看米婭、看了看卡車、看了看我的幾個夥伴，然後又看向那個人。

該死！

19

我討厭軟弱的感覺，也討厭還沒抵抗就投降。剛才外面的那場打鬥算不得眞正的抵抗，如果那是場眞正的戰鬥，如果我被一群超強的人打敗，我也許會比較能夠接受那樣的情況……只是也許。可我沒有被打敗，我的手甚至沒弄髒，我只是……默默地上車了。

我們都在卡車後面的地板上坐好，他們走過來，將每個人的手用簡易手銬銬在背後。所謂的簡易手銬就是用塑膠繩擰在一起，把我們的手捆住，這和眞正的金屬手銬一樣牢靠。

然後，車子默默地開動了，車上的人偶爾交頭接耳，聲音小得我們根本聽不見。克里斯蒂安和米婭有可能能聽見，可他們也找不到能夠告訴我們的辦法。米婭還是很害怕，和她在小道上的表情一樣，克里斯蒂安的恐懼被他一如既往的桀驁不馴的表情所代替，雖然他身邊有看守者的時候，他並不敢露出這種表情。

我很高興克里斯蒂安能夠控制住自己，我毫不懷疑，如果他做得太過分，這些人會給他苦頭吃，不管是我，還是這裡其他的實習生都阻止不了。一想到這些，我簡直快要抓狂。時刻要想著保護莫里，這想法在我心裡已經根深蒂固，我根本沒時間擔心自己，克里斯蒂安和米婭才是重點，我必須想辦法讓他們脫離險境。

這一切是怎麼開始的？這些人是誰？這都是個謎。他們是人類，但我不相信他們是偶然綁架了一群人，而這群人剛好是拜爾族和莫里族。我們成爲他們的目標，肯定是有原因的！

我們的綁架者既沒有意願蒙住我們的眼睛，也沒打算隱瞞車子行駛的路線，我認爲這不是個好兆頭。他們是認爲我們對這座城市不熟，沒能力按原路返回嗎？還是他們有把握，不管把我們帶到什麼地方，我們都不可能再離開？

我能確信的唯一一件事，就是我們正離開城裡，向荒涼的郊外駛去。車子走到這裡，已經沒有一片雪白的景色了，道路兩旁都灰禿禿的，泥濘的水坑、骯髒的草坪在茫茫的雪地中像補丁一樣。這裡還陸續出現了幾棵常青樹，它們和那些散亂不堪的落葉樹形成了鮮明的對比，我只覺得這樹木光禿禿的，像是副骸骨，好像預示著我們即將要面對的是末日的來臨。

約莫走了一個小時，車子拐進了一條靜悄悄的死胡同裡，我們來到了一座非常普通，但又大得驚人的房子前。附近還有其他的房子，就是那種郊區會有的房子，這讓我有了一絲希望——也許我們可以向鄰居求助。

我們被推進車庫，車門在我們身後剛剛關上，這些人就帶我們走進了屋子裡。屋子裡面更加耐人尋味，擺滿了經典款式的眞皮古董沙發和座椅，一旁還有一個大大的、養著海水魚的魚缸。壁爐上交叉掛著兩柄劍，牆上還有許多幅愚蠢可笑的現代風格畫作，其中一幅畫作上只有幾條線而已。

我心中喜歡暴力的一面讓我仔細看了看牆上的劍。

可惜這層大廳不是我們的目的地。我們沿一條窄小的、有扶手的樓梯下到地下室，這裡和樓上一樣寬敞，只不過被隔出了許多小房間，房間門都帶著鎖，就像是做實驗用的老鼠迷宮。綁架我們的人毫不猶豫地將我們丟進其中一間小房間，地上是水泥地，四周是沒有上過漆的白牆。

屋子裡面的家具包括幾把很不舒服的木頭椅子，椅背是豎條的，這樣比較方便把我們的手捆在上面。這幾個人將我們一個一個分在椅子上坐好，米婭和克里斯蒂安坐在房間的一邊，我們幾個拜爾族坐在房間的另一邊。其中一個人很明顯是這幾個人的頭兒，認眞地看著他的手下給愛迪換了一副新的簡易手銬。

「你們要特別看管這幾個人。」他點點頭指向我們，語帶警告地說，「他們可能會還手。」他目光先是落在愛迪臉上，然後是梅森，最後是我。我們兩個對視了一會兒，我一臉怒容，他轉頭看向他的同伴。「特別要注意她！」

我們都被重新綁起來，直到他滿意爲止。他又向其他幾個人吼了幾句，可能是命令吧！然後離開了這間屋子。門重重地在他身後關上，他穿過房間走上樓的時候，腳步聲在空中迴盪，過了一會兒，萬籟俱寂。

我們坐在這裡，面面相覷，幾分鐘之後，米婭開始抽泣，「你們打算要……」

「閉嘴！」一個看守我們的人吼道。他警告地向米婭走過去一步，她的氣焰被壓了下去。

她雖然害怕，但是看起來好像還要繼續說些什麼。我迎著她的目光，對她搖了搖頭。她沉默了下去，眼睛睜得大大的，緊緊抿住了嘴唇。

沒有比漫無目的的等待、不知道下一刻會有什麼發生在自己身上的感覺更糟的了！你自己的想像會比那些綁架者更加殘忍。我們的看守人不會跟我們講話，也不會告訴我們等著我們的是什麼，我想到了各種各樣可能發生的恐怖情況。

那些槍是個現成的威脅，我忍不住不停地想著挨子彈的滋味會是怎麼樣，可能會很痛吧！他們會對準什麼地方開槍？心臟還是頭？那絕對會一槍斃命。

有沒有可能會是其他地方呢？比如肚子？這樣的死亡不只慢，還很痛苦。我突然想到我在巴蒂卡家看見到的血腥場面，覺得我們的喉嚨很可能會被割開，這些人也許在帶著槍的同時，也帶著匕首。

當然，我最想知道的是，為什麼我們能活到現在？很明顯，他們想從我們這裡得到些什麼，可是……是什麼呢？他們沒有向我們問情報，而且，他們是人類，人類會想從我們身上得到什麼呢？一般我們最害怕人類做的，要嘛就是變得瘋瘋癲癲，要嘛就是想要成為我們，但他們哪一種都不像。

那麼，他們想要什麼？為什麼把我們帶到這裡？我一遍又一遍地想，越想越害怕，越想越覺得我們的命運非常堪憂。我朋友們的表情告訴我，我並不是唯一一個在心裡想這種無聊問題的人，汗水和恐懼的味道瀰漫在整個房間裡。

突然，思緒被樓梯上響起的腳步聲打斷了。那個首領模樣的人走了進來，屋子裡的其他看守者全部起立，周圍的氣氛顯得很緊張。

哦，老天，就是這一刻！我意識到，我們等的就是這一刻！

「是，先生。」我聽見有人這麼說，「他們都在這裡了，如您所願。」

該來的終於來了，我心裡想，恐懼在我心中升起，我必須逃出去！

「放我們出去！」我喊道，因爲掙扎，捆住我的繩子勒得越來越緊。「放我們出去，你們這些狗娘養……」我沒再喊下去，一股寒意令我不住顫抖，我的喉嚨發乾，心跳幾乎停止。

回來的首領身後跟著一男一女，我不認識他們，不過，也可以說認識他們。他們是血族！眞正的、活生生的血族！呃……這只是個形容。

事情在一瞬間拼湊了起來，不僅斯波坎有血族的情報是眞的，我們擔心的血族和人類狼狽爲奸的事，也是眞的！這會改變一切，陽光下不再是安全的，我們中也不再有人是安全的！更糟的是，這些肯定就是那些惡事做盡的血族，那些在人類的幫助下襲擊了兩個莫里皇室的血族！

再一次，那些恐怖的畫面浮現在我眼前：屍體和血漬遍地都是，怒火即將噴出，我試著將注意力從過去的慘狀轉移到目前的情況中。

莫里的膚色是蒼白的，很容易變得紅撲撲，但這些吸血鬼……他們的膚色是雖然白，但是好像能掉下粉來，乍看像是個失敗的作品。他們的瞳仁外有一圈紅色，顯示出他們身爲怪物的本質。

說實話，這個女人讓我想起了娜塔莉，我這個可憐的朋友在她爸爸的勸說下，將自己變成了血族。

我想了好一會兒她們兩個到底哪裡像，因爲她們的外表實在是一點共同之處都沒有。這個女人個子很矮，也許在變成血族之前是個人類，留著棕色的頭髮，糟糕的護理令她的頭髮失去了光澤。

這提醒了我，這個血族肯定是個新血族，就像娜塔莉那時一樣。其實這不容易看出來，我是在將她跟她身邊的那個血族男人作比較之後，才明白過來的。這個血族女人的臉上還有一絲生氣，但是那個男人的臉上則死氣沉沉。

他的臉一點溫暖的感覺都沒有，也沒有最基本的喜怒哀樂，整張臉冷冰冰，充滿算計，偶爾露出一絲惡毒的譏笑。他很高，大概與迪米特里相仿，身形瘦削，顯示出他之前的莫里身分。他留著及肩的黑髮，從臉的兩側垂下來，身上的大紅襯衫令他十分顯眼。他的眼睛是棕黑色的，外面沒有紅圈，幾乎已經分不出哪部分是瞳孔、哪部分是虹膜了。

其中一個看守者嚴厲地看了我一眼，雖然我已經閉嘴了，他又看向那個血族男人。「你需要我堵上她的嘴嗎？」

我突然想起我還被綁在椅背上，可還是下意識想離他遠遠的。他也看到了這一點，微微一笑，笑的時候並沒有露出牙齒。

「不用了。」他說，聲音溫潤而又低沉。「我很想聽聽她能說出什麼。」他揚起一邊的眉看著我，「請繼續。」

我吞了口口水。

「不說了？沒有要補充的了嗎？好吧！如果想到了其他要說的，請一定不要克制自己。」

「以賽亞！」那個女人叫道，「爲什麼你要把他們留在這裡？爲什麼你不去聯絡其他人？」

「伊琳娜，」以賽亞對她低聲呢喃著，「放規矩一些，我不會放過享受和兩名莫里以及……」

他走到我的椅子後面，撩起我的頭髮，我被激起一片雞皮疙瘩。過了一會兒，他又看著梅森和愛迪的脖子。「三個毫無經驗的拜爾族一起遊戲的機會的。」

他幾乎是高興地說出這些話，我知道，他剛剛在找的是守護者的刺青。

以賽亞又踱步走到米婭和克里斯蒂安那邊，他一手扶著臀部，仔細地看著他們。米婭只看了他一眼，就轉過了頭。克里斯蒂安的懼意很明顯，但是他設法回瞪血族審視的目光，這讓我感到驕傲。

「看看這雙眼睛，伊琳娜。」伊琳娜聽了，走過來站在以賽亞身邊。「這種淺藍色像冰、像藍寶石，你肯定是某個皇室家族的一員。巴蒂卡？歐澤拉？或是澤克羅斯？不過，這種可能性不大。」

「歐澤拉。」克里斯蒂安努力不讓自己顯得害怕。

以賽亞用手抬起克里斯蒂安的頭。「絕對錯不了……」他彎下身子，靠近克里斯蒂安。「而且年紀也對……這頭髮……」他笑起來。「你是盧卡斯和莫婭的兒子？」

克里斯蒂安沒有說話，但他臉上的神色已經肯定了這點。

「我認識你的父母，他們是偉大的人，空前絕後的。他們的死眞令人遺憾！不過……嗯……請恕我直言，他們兩個是自找的！

我已經告誡過他們，不要回去找你，那麼小就讓你覺醒是種浪費。他們聲稱只是回去把你帶在身邊，等你長大了再讓你覺醒。我警告過他們，那可能會是場災難，可是，唉……」他優雅地聳了下肩。「他們執意不聽，災難以另一種形式降臨到他們的頭上。」

「覺醒」是血族使用的一個詞，用來形容他們完全變成血族的過程，聽起來像是個宗教體驗。

克里斯蒂安的眼眸深處閃現出憎惡，深深的、黑暗的憎惡。以賽亞又笑了。

「這個故事相當感人，在你知道這一切以後，你應該用自己的方法對我表示感謝，也許我能幫你的父母實現他們的夢想。」

「以賽亞，」伊琳娜再次開口說。每個從她嘴裡蹦出來的字都像是在哭。「叫其他人……」

「別再不停命令我！」以賽亞抓著她的肩膀，想將她一把推開。如果她眞的被推開，很可能會飛到房間另一頭，透過牆壁而出，還好她勉強掙脫開，及時阻止了這一切的發生。

血族的反應比拜爾要強，甚至比莫里都要強。她如此狼狽，說明以賽亞確實令她猝不及防。而且說真的，他也沒怎麼碰到她。那一推非常輕，可仍然相當於一台小汽車的馬力。

這更印證了我的想法——他是這裡級別最高的。他剛剛對她使用的力道只是一點點，但她就像蒼蠅一樣，可以被他輕易拍死。

血族的力量是會隨著年齡不斷增長的，同時，他們對莫里族血液的渴望也會增加，至少至少，也要是拜爾族的血液。

這個傢伙不只是老，我意識到，他可以算是古董了！這麼多年以來，他肯定吸了很多人的血！

伊琳娜誠惶誠恐，我非常能夠理解。血族一直以來都有互相殘殺的傳統，如果他願意，他能夠擰下她的腦袋！

伊琳娜膽怯了，她不敢直視他的眼睛。

「我……我很抱歉！以賽亞。」

以賽亞理了理他的襯衫，但其實他的衣服並不皺。他的聲音又變回了之前的冷冰冰，「很顯然妳對這裡的事情有自己的看法，伊琳娜，我歡迎妳用文明的方式表達出來。妳認為我們應該怎麼處理這些年輕人呢？」

「你應該……我是說，我認為我們應該現在就把他們送走，特別是那兩個莫里族。」她顯然努力避免再變成抱怨，惹他生氣。「除非……你不打算帶他們去參加那個晚宴了，我說得對嗎？不過，要是帶去的話才真是浪費了！我們必須要與其他人一起分享，你知道，那些人不會為此表示心懷感激的，他們從來不懂什麼叫感激。」

「我還不打算從他們的晚宴中退出。」以賽亞聲明道。「不過，我也不會馬上殺了他們。妳還太年輕，伊琳娜，妳只想著馬上要別人表示感激，當妳到了我這個年紀，就不會這麼……急躁了。」

伊琳娜在以賽亞看不見的時候，翻了翻白眼。

以賽亞轉過身，目光掃過我、梅森和愛迪。「你們三個恐怕是一定要死的，這點毋庸置疑，我很想對你們說我很難過，不過……嗯，我不會這麼說的。你們當然還是可以選擇自己死去的方式，這就要看你們的表現了。」

他的目光在我身上徘徊。我眞是想不通，爲什麼每個人都覺得我是個製造麻煩的人，而對我特別注意。好吧！也許我確實很會製造麻煩。

「在你們裡面，有人會比其他人死得更加痛苦。」

我不用看梅森和愛迪的表情，也知道他們和我一樣害怕，我甚至聽見了愛迪的抽泣聲。

以賽亞突然原地一個轉身，臉朝著米婭和克里斯蒂安。

「你們兩個很走運，還可以選擇。你們之中只有一個人會死，另一個可以以光榮的永生形式活下來，等那個人再長大一點，我會很有愛心的將他護在自己的羽翼之下，照顧他，我就是這麼仁慈。」

我實在忍不住了，放聲大笑。

以賽亞轉回身瞪著我，我閉上嘴，等著他像剛剛對伊琳娜那樣，將我扔到屋子的那一頭。不過他什麼都沒做，只是瞪著我。

這已經夠了，我的心臟跳得飛快，淚水幾乎要從眼眶裡奪眶而出。我爲自己現在的害怕覺得羞愧，我想像迪米特里一樣，更希望能做到我媽媽那樣。

在長長的注視之後，以賽亞重新轉身看向莫里們。

「現在，像我剛才說的，你們兩個之中將有一個人要覺醒，獲得永生。不過，我不會親自令你們覺醒，你們可以遵循自己的意願，選擇覺醒的方式。」

「別作夢了！」克里斯蒂安用自己最輕蔑的口吻說出這句話，以此表達對他的蔑視。不過，屋子裡的每個人都明明白白看在眼裡，他仍然很害怕。

「啊！我是多麼喜愛歐澤拉家族的精神啊！」以賽亞陷入沉思。他看著米婭，紅眼睛閃動著光芒。她因爲害怕而縮成一團。「別讓他誤導了妳，親愛的，即便是最平凡的血液，也蘊含著力量。」

他說完，指著我們幾個拜爾，目光令我渾身打了個冷顫，我想，我都能聞到腐爛的臭味了！

「如果你們想活命，唯一要做的，就是從這三個人裡挑一個殺死。」他轉身對莫里們說，「就這麼簡單，完全不用傷心，只需要告訴這些紳士們，你們打算怎麼做，他們會體諒你，然後將他們身上的血液吸乾，覺醒，成爲我們當中的一員。不管是誰率先得到了解脫，剩下的幾個，將成爲我和伊琳娜的美食！」

整個房間陷入一片沉默。

「辦不到！」克里斯蒂安說，「別想我會殺死我的好朋友，我才不在乎你會怎麼做，你可以第一個殺死我。」

以賽亞蔑視地擺了擺手。「在你還不餓的時候，要逞能是很容易的，餓你們幾天以後……這三個人看起來就非常可口了！他們確實很美味，拜爾族的血液味道不錯，有人對他們的喜愛程度，甚至超過了對莫里血液的喜愛。不過，我自己當然不同意這種說法，但對他們的不同愛好，我依然要表示感謝。」

克里斯蒂安怒容滿面地看著他。

「不相信我說的話？」以賽亞說，「請允許我證明給你看。」

他走到我們這邊，我猜到他下一步想做什麼，沒有來得及多加思索，話就已經脫口而出：「吸我的血！」

以賽亞自以爲是的表情有一陣子平復了下來，他揚起了一邊的眉毛。「妳這是自願的嗎？」

「我以前這麼做過，讓莫里吸我的血，我是說，我不在乎。放過其他人吧！」

「蘿絲！」梅森大聲喊。

我沒有理會他，繼續懇求地看著以賽亞。我其實不想讓他吸我的血，這種想法讓我覺得噁心，可我以前確實餵食過血液，我寧願讓他拿我當樣品，也不能讓他去碰愛迪和梅森。

他看著我，我不明白他的表情是什麼意思。有一刻，我以為他已經打算這麼做了，可他卻搖了搖頭。

「不！妳不行！至少現在還不行！」

他走過來，站到愛迪跟前，我用力想掙脫手銬，但越掙扎，它們陷入我的皮膚裡就越深，勒得我越疼，一點都掙脫不開。「不！放開他！」

「安靜！」以賽亞飛快地說，看都沒看我。他用一隻手抬起愛迪的頭，愛迪渾身顫抖，面無血色，我覺得他可能會暈過去。「我可以很輕，也可以讓你很痛。如果你保持安靜，將是對前者最大的鼓舞。」

我想尖叫、我想用各種方法喊出以賽亞的名字、我想說出各種威脅，但我什麼都辦不到。我看著屋子四周，想找個脫身的辦法，就像我以前曾經多次成功的那樣，但是，什麼都沒有，只有平坦、光禿禿的牆壁，沒有窗戶，唯一的門口總是站著看守者。我很絕望，就像他們將我推進卡車那一刻一樣絕望，而且有想哭的感覺，但是憤怒多過害怕。

如果我連自己的朋友都不能保護，還有什麼資格成為守護者？

但是，我只能保持沉默，看著以賽亞臉上露出滿意的笑容。他的皮膚在螢光燈下，變得更加病態、灰暗，突顯出他眼睛下方的黑眼圈，我想衝上去揍他。

「很好。」他笑著對愛迪說，並將他的頭托起來，這樣可以讓兩個人目光直視。「現在你不會反抗我了，對嗎？」

我曾經說過，莉莎是催眠術的高手，但是連她都做不到這點，只幾秒鐘，愛迪就露出了笑容。

「對，我不會反抗你。」

「很好！你會毫無保留地把你的脖子留給我，是嗎？」

「當然。」愛迪說著，仰起了自己的脖子。

以賽亞低頭將嘴咬上去，我轉開了頭，想將注意力放在那些磨破的毯子上，不想目睹這一幕。我聽見愛迪發出溫柔、幸福的輕吟，整個餵食過程非常的安靜，沒有咕嘟咕嘟之類的聲音。

「好了。」

直到以賽亞再次開口，我才敢轉過頭。鮮血從他的唇邊滴落，他伸出舌頭，打算將它們舔乾淨。

我的位置看不到愛迪脖子上的傷口，但我可以想像那血腥恐怖的畫面。

米婭和克里斯蒂安睜大了眼睛，既有恐懼，也有興奮。愛迪的目光充滿了幸福和滿足，像是吸了毒那種飄飄欲仙的感覺，內啡肽和催眠術在他身上同時作用，令他High到爆！

以賽亞站起身，微笑著看著那兩個莫里族人，舔去他唇邊的最後一滴血。「看見了？」他一邊說，一邊走向門邊，「就是這麼簡單。」

20

我們需要制定一個逃跑方案，越快越好。不幸的是，我能想到的主意，都不是可以受我控制的。比如我們被單獨留下，然後偷偷溜走，或者派來的看守剛好是個傻子，可以讓我們很容易地唬弄過去，然後逃走，至少他們可以不用那麼認眞負責，這樣我們便有機會打暈他們，成功逃跑。

可這些想法都非常不切實際，差不多過了整整一天，情況絲毫沒有好轉，我們還是像犯人一樣，處於嚴密的守護下。綁架我們的人耳聽四面、眼觀八方，幾乎可以和守護者相媲美！幾乎！

我們最接近自由的時刻，還眞是有點難以啓齒，就是我們去洗手間的時候，但也遭到嚴密監控。他們不給我們食物和水，這麼做對我可是有點苛刻了，不過，如果是人類和吸血鬼混血成的拜爾族會更加難以忍受。覺得不適的時候，我還可以控制，不過我可能很快就會達到「我爲食亡」的地步了，尤其別讓我看見起司漢堡和那些油乎乎的炸薯條。

至於米婭和克里斯蒂安……呃……可能情況更加嚴峻一點了。如果光吸血的話，莫里可以一星期不吃不喝；可如果沒了血源，他們只能堅持幾天，然後就會逐漸衰弱下去，哪怕他們還有其他食物可吃，也是枉然。我和莉莎之前就是這麼活過來的，雖然我不能每天都給她餵食。

沒有了食物、血液和水，莫里族會變得失去耐心，我是餓，米婭和克里斯蒂安根本就是飢渴，他們已經變得憔悴，眼睛深陷下去。

以賽亞偶爾來看看事態進展，讓情況變得更加糟糕。每次，他都會走進來冷嘲熱諷一番，然後在離去之前，從愛迪身上飽吸一頓。他第三次來的時候，米婭和克里斯蒂安已經忍不住垂涎欲滴了。而在內啡肽的作用和過度飢餓的狀態下，我敢肯定愛迪根本不知道我們在什麼地方。

到了第二天，我開始迷迷糊糊地打起盹，飢餓和緊張總能帶來頻頻來襲的睡意。有一次，我甚至作了個夢！在這種不正常的情況下，我居然還能酣睡入夢，這絕對出乎我自己的預料！

我能非常肯定地說這是個夢，在夢裡，我站在海灘旁，看了一會兒才認出這是哪裡的海灘。這裡是俄勒岡的海岸，腳下的沙子非常溫暖，還有一望無際的大海。

我和莉莎住在波特蘭的時候，曾經到這裡來玩過，那天晴空萬里，但她不能在強烈的陽光下久站，因此我們只待了一會兒就走了。當時，我心裡總希望能夠再多待一會兒，好好享受一下這樣的陽光，而現在，我眞的身處在夢寐以求的明媚溫暖的日光下！

「小拜爾，」突地，一個聲音在我身後響起。「是時候了！」

我轉身，驚訝地發現艾德里安．伊瓦什科夫正看著我。他穿著寬寬大大的卡其布襯衫，光著腳。這身裝扮對他來說，是非常罕見的。微風拂過他的棕髮，他的手一直插在口袋裡，臉上帶著一貫的笑容。

「妳還是這麼全副武裝。」他補充說。

我皺著眉，看他盯著我的胸口，想了一會兒，才發現他的眼睛正看著我的肚子。我上身穿著比基尼，但是下身穿的卻是一條牛仔褲，那個小小的、藍色眼睛形狀的吊墜掛在我的肚臍上，手腕上則戴著莉莎送我的手鍊。

「你又待在太陽下面了！」我說，「那麼我猜，這是你的夢囉？」

「我們的。」

我的腳趾用力在沙子上碾了碾。「兩個人怎麼可能作同一個夢呢？」

「人們一直在作同樣的夢，蘿絲。」

我看著他，皺了皺眉。「我必須知道你確切的意思，你說我周圍繞著一圈黑霧，那是什麼意思？」

「老實說，我不知道。每個人周圍都有一圈光，只有妳不同。妳周圍的是影子，那是妳從莉莎那裡得來的。」

我更加疑惑。「我不明白。」

「我現在沒法給妳解釋清楚。」他說，「我不是爲了這個來的。」

「你來這裡是有目的的？」我問道，眼睛看著藍灰色的海面，像是被催眠了。「你不是……爲了來這裡而來的嗎？」

他往前踏進了一步，抓住我的手，強迫我看著他的眼睛。那些戲謔全都不見了。他確實是非常認眞的。「妳在哪裡？」

「這裡。」我奇怪地說，「和你一樣。」

艾德里安搖搖頭。「不，我指的不是這個，我是說在現實世界裡，妳在哪兒？」

現實世界？我們身邊的海灘突然模糊起來，過了一會兒，所有的東西又變得清晰。我用力想著，現實世界的畫面浮現了出來，椅子、看守、手銬……

「在一個地下室……」我慢慢地說，但，我想起所有事的時候，艾德里安突然變得四分五裂。

「哦，老天！艾德里安，你必須要幫幫米婭和克里斯蒂安，我不……」

艾德里安抓住我的手更緊了。「在哪兒？」整個世界又變得模糊，這一次沒有再變回清晰，他大喊：「妳在哪兒，蘿絲？」

整個世界開始崩潰，艾德里安開始消失。

「一個地下室，在一間房子裡，在……」

他消失不見了！開門的聲音將我帶回了現實世界，我醒了過來。

以賽亞在伊琳娜的陪伴下，像一陣風一樣捲進了房子裡。我看見伊琳娜，不由得冷笑一聲。他傲慢、他刻薄、他像個魔鬼，他有這種表現，是因爲他是這裡的頭頭。他有力量、有能力，有可以殘忍冷酷的本錢，可她呢？她只會阿諛諂媚！她威脅我們、她尖酸刻薄，但是，她的作用只相當於以賽亞手裡的一根手杖，她是個不折不扣的馬屁精！

「哈囉！孩子們。」以賽亞說，「你們今天過得好嗎？」

所有人都用惱怒的目光回答他。

他走到米婭和克里斯蒂安面前，雙手背後。「我上次走了以後，你們的心意有所改變嗎？你們拖延的時間太長了，這會令伊琳娜傷心的喲！她已經非常餓了，但是，我猜她再餓，也沒有你們兩個餓吧！」

克里斯蒂安瞇起了眼睛。「去你的！」他咬著牙說道。

伊琳娜怪叫一聲，衝了過來。「你竟敢……」

以賽亞揮揮手，讓她退下。「別管他。我們只不過要再等久一點而已，說眞的，這是個很令人愉快的等待。」

伊琳娜憎恨地看著克里斯蒂安。

「老實說，」以賽亞繼續說道，眼睛沒有離開克里斯蒂安，「我也不知道自己更希望哪樣，是殺了你，還是讓你加入我們？不過，不管選哪一種，都能讓我感受到不同的樂趣。」

「你還沒厭倦自言自語嗎？」克里斯蒂安問道。

以賽亞想了想。「沒有，眞的沒有，我對這件事也還沒有厭倦。」

他轉身走向愛迪，可憐的愛迪只能坐在自己的椅子上，自從他被吸了血，就再也沒清醒過，更糟的是，以賽亞甚至無需再費事對他催眠，愛迪的臉上只會露出呵呵的傻笑，渴望下一次的吸血。

他已經對餵食這件事上癮了！我對此感到無比憤怒和厭惡。

「見鬼！」我大喊，「放開他！」

以賽亞回頭看著我。「安靜點，孩子。我和不認爲妳和歐澤拉先生一樣有趣。」

「是嗎？」我咆哮道，「如果你眞的那麼討厭我，那就用實際行動來證明你這個愚蠢的觀點。來咬我呀！然後讓我看看你到底是個什麼樣的混蛋。」

「不！」梅森大喊。「咬我！」

以賽亞翻了翻白眼。「老天！竟然有這麼多有愛心的人！」

他從愛迪面前走開，將手指放在梅森的下巴上，強迫他仰起頭。「不過，你……」以賽亞說，「並不是眞的想這麼做，你只是爲了她。」

他放開梅森，又走到我面前，低下頭，用他那黑黑的眼睛看著我。「而妳……我一開始眞的不相信妳說的，不過現在嘛……」他單膝跪地，令我和他平視。

我拒絕轉頭，勇敢地迎向他的目光，雖然我知道這是冒著可能被他催眠的危險。

「我認爲妳說的是眞的，這跟高尚的愛沒什麼關係，妳是打從心裡想這麼做，妳從前眞的被吸過血。」

他的聲音充滿了魔力，像是某種催眠，但事實上，他並沒有使用催眠術，不過他周圍的確散發著不同尋常的氣場，就像莉莎和艾德里安。

「很多次，我猜。」他補充說。

他湊過來，溫熱的呼吸噴在我的脖子上。在他身後的某處，我能聽見梅森在大喊大叫著什麼，但是我所有的注意力都放在以賽亞離我脖子越來越近的牙齒上。

在過去幾個月裡，我只被吸過一次血，當時莉莎正處於危難關頭。而在這之前的兩年裡，她每個星期至少要從我身上吸兩次血，我直到最近才發現，自己對這件事有多麼著迷。

世界上，再也沒有什麼事能像被莫里咬上一口那樣，帶來歡愉美妙的感覺。當然，從各種資料來看，被血族吸血時，快感可能會更強烈！

我吞了口口水，突然發覺自己的呼吸沉重，心跳加速。

以賽亞低低地笑了起來。「沒錯，妳是個還沒有完全上癮的吸血妓女。告訴妳一個壞消息，我不會給妳妳想要的！」

他轉過身，我猛地跌坐在椅子上，他沒再猶豫，回到愛迪身邊開始吸血。

我沒敢抬頭觀看，只不過這次是因爲羨慕，而不是噁心。我的身體裡湧起無盡的渴望，我渴望吸血鬼的啃嚙、渴望它牽動我的每根神經。

以賽亞吸完血之後，正準備離開這裡，突然又停了下來。話是針對米婭和克里斯蒂安說的：「別猶豫了！」他警告說，「珍惜活命的機會。」他揚起下巴朝我的方向點了點。「你們還有一個志願者呢！」

說完，他走了。隔著整間屋子，我和克里斯蒂安的目光對上了。

不知怎地，我覺得他的臉色比幾個小時以前更難看了。他的眼中閃動著飢渴，我知道，我就是他渴望的目標，一個可以滿足那種飢渴的人！

老天，這也太過分了吧！我猜克里斯蒂安也想到了同樣的事，他的唇勉強溢出一點笑容。

「妳從沒有看起來那麼好過，蘿絲。」他剛說完這句，看守人就跑過來要他閉上嘴。

我又試著睡了幾次，但是，艾德里安沒有再出現在我夢中，反而因爲我過於放鬆，發現自己又開始溜進了老地方：莉莎的意識。

在經過了這兩天的折磨之後，潛進她的意識就像回到家裡一樣。

她正坐在酒店的宴會廳，只是這次屋裡一個人都沒有。她坐在屋子盡頭的地板上，盡量讓自己不引人注意。她緊張極了，像是在等什麼，或者說，在等什麼人。幾分鐘之後，艾德里安走了進來。

「堂妹，」他用這種方式打著招呼。他坐在莉莎旁邊，曲起雙腿，毫不介意他昂貴的褲子可能被弄髒。「對不起，我來晚了。」

「沒關係。」她說。

「在妳看見我之前，妳不知道我在這裡，是嗎？」

她搖搖頭，有些失望。我覺得更加困惑了。

「和我坐在一起，妳眞的什麼都感覺不到？」

「對。」

他聳聳肩。「好吧！希望很快就能感覺到。」

「你的能力是什麼？」她問道，眼中閃著好奇。

「妳知道光環是什麼嗎？」

「就像是……人的周圍有一圈光束，對嗎？好像心靈清修那樣。」

「差不多。每個人都有一種精神能量從身體裡面發散出來，嗯，大多是如此。」他的猶豫讓我想起了他說我周圍是一片黑霧。「基於光圈的顏色和形狀，我們能知道他是什麼樣的人……呃，對於那些能夠看見光圈的人來說，就是這樣。」

「你就能看見！」莉莎說，「我的光圈是什麼樣的？」

「近乎於金色，和我一樣，情況不同時，還可能會變成其他顏色，但平時都是金色的。」

「你知道還有多少像我們這樣的人嗎？」

「不是很多，我只是偶然見過幾個，他們都對此保密，妳是第一個肯跟我談論的人。我甚至不知道這叫作『精神元素』。眞希望我能早點知道，我總以爲自己是個怪物！」

莉莎環抱雙臂，瞪大了眼睛，希望自己也能看見光圈，但是什麼都沒有。她嘆了口氣，將胳膊放了下來。

艾德里安也是個精神元素的使用者！這就是他爲什麼對莉莎那麼好奇、爲什麼那麼想和她講話、爲什麼問起心電感應和她擅長元素的原因。

這也解釋了許多其他的事情，比如當我靠近的時候，爲什麼不能從他身邊逃離？那天我和莉莎在他房間的時候，他一定是使用了催眠術，這也是他迫使迪米特里沒有追究的原因。

「那麼，他們終於放過妳了？」艾德里安問莉莎。

「對。他們終於相信我眞的什麼都不知道。」

「好極了！」他說著，皺了皺眉頭，我知道他是爲了讓自己清醒一些。「妳確實什麼都不知道？」

「我已經告訴過你了，我不能從我這邊使用心電感應。」

「哦哦哦……好吧！不過妳可以試試。」

她睜大了眼睛。「什麼？你認爲我能反向使用心電感應？如果我能找到她，我會的！」

「要這麼做，妳的注意力必須十分集中，這樣才能在她的夢裡和她談話。我試過了，但我沒辦法堅持很長時間……」

「你剛才說什麼？」莉莎喊道，「和她在她的夢裡講話？」

現在輪到艾德里安迷惑不解了。「當然了。妳不知道可以這麼做嗎？」

「當然！你在開玩笑嗎？這怎麼可能發生呢？」

我的夢……

我記起了莉莎提起過，莫里族有很多無法解釋的現象，除了治療之外，精神能力還能有很多種用途，甚至還有很多沒有記載的，這就說明，艾德里安出現在我的夢中不是偶然，他是設法進入了我的意識，也許和我進入莉莎意識的方法差不多，這種想法令我不安，莉莎連體驗這點的能力都沒有。

他一手捋著自己的頭髮，扒向後面，一面看著水晶燈，陷入沉思。「好吧！那麼，妳看不見光圈，也不能和人在夢裡談話，那妳的能力是什麼？」

「我……我能治癒別人。動物，還有植物。我可以令他們起死回生。」

「真的？」他很驚訝，「好。妳可以這麼做，還有別的嗎？」

「呃……我會催眠。」

「我們都會。」

「不，我的催眠能力很快，也不怎麼費力。我能讓人做出我想讓他們做的一切，不管是好事還是壞事。」

「我也能。」他抬起頭，「我在想，如果妳試著給我催眠……」

她猶豫了一下，下意識地將手指沿著紅地毯的邊緣滑來滑去。「呃……我辦不到。」

「妳剛才說過妳能的。」

「我是能，但是現在不行，我在吃藥……是治療抑鬱症什麼的藥，它令我沒法使用魔法。」

艾德里安伸了個懶腰。「那我怎麼教妳走進別人的夢裡？我們怎麼用它去找蘿絲呢？」

「看，」她火大地說，「我也不想吃這些藥，但是如果我不吃的話……我會做一些很瘋狂的事、危險的事，這是精神能力的副作用！」

「我就沒吃藥，也沒什麼事。」他說。

不，他有事，我想到了，莉莎也想到了。

「那天迪米特里找到你的房間時，你的行為眞的很奇怪！」她指出，「你根本就不知所云，而且說的話毫無意義。」

「哦，那個？對，這種情況有時會發生，不過老實說，並不頻繁，大概一個月一次吧！」他坦白說。

莉莎看著他，突然開始重新整理所有的事。

如果艾德里安眞的能做到呢？如果他眞的不用吃藥，也能使用精神能力，而且不會有副作用呢？這是她長久以來一直盼望的事情，而且，她也不敢肯定那些藥還能堅持多長時間。

艾德里安笑了起來，似乎猜到了莉莎在想什麼。

「妳覺得怎麼樣，堂妹？」他問道。他不需要用催眠術，詢問已經充滿了誘惑。「我能教妳我會的所有事，如果妳夠使用魔法的話，我會將那些藥物從妳的身體裡清除出去，不過一旦它們被清出去……」

21

這可眞不是我現在想要的！艾德里安做的任何事我都有辦法應付，比如追求她、讓她和他一起抽滑稽的雪茄，或者其他什麼的，除了讓莉莎停止繼續服藥，這是我竭力避免的一件事。

我不情願地從她的意識裡抽回身來，回到我自己要面對的殘酷現實。我很想繼續看下去，看看艾德里安和莉莎會怎麼做，但是監視他們一點用都沒有，我現在最需要的是一個逃跑方案。

我需要把我們從這裡帶出去，但是，我環視四周，發現和以前一樣，逃跑幾乎是件不可能的事，接下來的幾個小時也要在沮喪和猜測中度過。

今天看守我們的人有三個，他們好像覺得有些無聊，但是還沒到懈怠的地步。在我身邊，愛迪依然沒有意識，梅森呆愣愣地看著地板，我們對面，克里斯蒂安看起來沒什麼特別，而米婭……我覺得她好像睡著了。

乾渴的喉嚨令我十分痛苦，一想到我對米婭說過水元素的魔法是多麼沒用，我就想哈哈大笑。也許它對戰鬥沒有什麼幫助，不過我現在願意付出一切代價，只要她能召喚出魔法。

慢著！魔法!?爲什麼我之前沒有想到呢？我們不完全是絕望無助的！

一個計畫在我心裡中慢慢成形，這個計畫可能很瘋狂，可卻是最好的一個。我對這個計畫抱有極大的信心，心臟像打鼓一樣，咚咚跳個不停，卻必須裝作鎮定，以免看守者發現我突然變得興奮。

房間的另一邊，克里斯蒂安正看著我。他眼中閃動著興奮，好像知道我已經想到了什麼，好奇地看著我，和我一樣做好了行動的準備。

老天！我們怎麼執行？我需要他的幫助，卻沒有一個確實可行的辦法，讓他明白我的想法。事實上，我根本不敢肯定他是不是能幫我，他已經很虛弱了。

我和他四目相覷，希望他能明白稍後發生的事情。他有點迷惑，但也表明他有信心。我確定沒有看守人看著我的時候，輕輕地改變了一下姿勢，稍微提了提我的手腕，盡可能回頭看著自己的身後，然後又轉頭回來看著克里斯蒂安，他皺著眉，我又重複了一遍剛才的動作。

「嘿！」突然，我大聲說，米婭和梅森都被嚇了一跳。「你們真的要一直這麼虐待我們嗎？至少也要給我們找點水喝吧！」

「閉嘴！」其中一名看守者說。不管我們說什麼，這都是他們的標準回答。

我用最嬌媚的聲音說：「一小口都不行嗎？我的喉嚨快要燒著了，很可能就要起火了。」我說到最後幾個字的時候，朝克里斯蒂安眨眨眼，然後看向和我說話的看守者。

和我預計的一樣，他從座位上站起來，向我走過來。

「別讓我再說第二遍。」他叫道。

我不知道他是不是眞的會做出什麼出格的事，可我沒興趣再刺激他，而且，我已經達到了目的。如果克里斯蒂安不明白我的暗示，接下來也就沒什麼可做的了。我希望自己的害怕看不出來是裝的，因此沒再說話。

看守者回到他自己的位子上，過了一會兒，他不再盯著我看。我再次轉向克里斯蒂安，繼續動了動手上的手銬。

快！快！我心中暗想。快點想明白！克里斯蒂安。

他的眉毛突然揚了一下，興奮地看著我。很好，他肯定是想到了什麼，我希望他想的和我想的是一樣的。他又露出困惑的表情，好像在問我是不是認眞的，我用力點點頭，他皺起眉，想了一會兒，然後做了一個深深的深呼吸。

「好吧！」他說，所有人又都被嚇了一跳。

「閉嘴！」一名看守者立刻說，他好像很不耐煩。

克里斯蒂安說：「我準備好了！準備好要吸血了！」

房間裡所有人都愣住了，心跳漏了一拍，包括我。這絕對不是我剛剛心裡想的事啊！

看守者的頭頭站起來。「別耍花招！」

「我沒有。」克里斯蒂安說。他的臉上露出狂熱、堅定的表情，我覺得不像是裝出來的。「我已經厭倦了，我想出去，我不想死，我要吸血，而且，我要她！」他的頭向我這邊點了點。

米婭發出警告的尖叫，梅森大聲對克里斯蒂安喊著什麼。這些話要是在學院裡說，足夠給他記個大過外加關禁閉了！

其他兩個看守者都狐疑地看著他們的頭目。「我們要去找以賽亞嗎？」其中一個人問。

「我想他現在可能不在。」頭目說。他仔細地看了克里斯蒂安一會兒，然後作出決定，「在我沒有弄清楚這是不是他在搗亂之前，我也不想去給他添麻煩。放開他，我們先看看。」

其中一個看守者找來一把尖利的鉗子，他走到克里斯蒂安跟前，俯下身。我能聽到塑膠繩綳斷的聲音，手銬鬆開了，他抓住克里斯蒂安的胳膊，猛地一把將他拉起，帶著他朝我走來。

「克里斯蒂安！」梅森大喊，憤怒至極，他掙扎著晃動自己的手銬，椅子被他搖晃得往前挪了一下。「你瘋了嗎？不能讓他們得逞！」

「你們反正都要死，可我不能！」克里斯蒂安一邊叫，一邊撥開擋在眼前的黑髮。「除此以外，沒有別的辦法。」

我現在真的不知道該怎麼辦了，但我很肯定，如果我要死的話，一定會有更多預感！

兩個看守者一人一邊監視著克里斯蒂安，謹慎地看著他向我彎下身子。

「克里斯蒂安……」我喃喃地說，驚訝地發現想要表現出害怕是多麼容易。「不要！」

他的唇露出一絲微笑，完美至極。「我們兩個從來沒有喜歡過彼此，蘿絲，如果我必須要殺死什麼人，妳是最好的選擇。」他的話冰冷、準確、可信。「而且，我想妳也喜歡我這麼做。」

「不是這個！拜託！不要……」

其中一個看守催促道：「要嘛快點吸完，要嘛就坐回你的椅子上去。」

克里斯蒂安仍然帶著那樣的笑容，聳聳肩。「抱歉！蘿絲，不管怎樣，妳都死定了。爲什麼不以一種美好的方式死去呢？」他的臉貼近我的脖子。「這可能會有點痛。」他補充說。

我仍然懷疑他是不是眞的打算這麼做，因爲他不會的……對吧？我不安地微微顫抖起來。根據所有資料記載，如果你全身的血液都被吸乾，你的體內也已經有了足夠多的內啡肽，可以讓你完全感覺不到疼痛，就像是睡覺一樣。當然，這些都是推測，那些死於吸血鬼口下的人不會眞的活過來，將自己的體驗寫成報告。

克利斯蒂貼住我的脖子，將臉藏到我的頭髮後面，這樣可以完全擋住他的動作。他的唇拂過我的皮膚，那種柔軟讓我記起了他在和莉莎接吻時的感覺。過了一會兒，他的尖牙碰到了我的皮膚。

然後，我感到疼痛，非常、非常疼！

但，這疼痛不是來自於他的嚙咬，他的牙只是按在我的皮膚上，並沒有咬下去。他的舌頭在我的脖子上來回游移，磨來磨去，可是沒有血液被吸出來。如果說眞的有什麼，這更像是一種奇怪的、變態的吻。

對，疼痛是從我手腕上傳來的，一種灼傷的疼痛，克里斯蒂安正用他的魔法加熱我的手銬，正如我希望他做的那樣。

他明白了我傳達給他的資訊！

塑膠變得越來越熱，他仍然假裝在吸血。如果有人走近一點看，肯定能發現他是在裝模作樣，不過我厚厚的頭髮擋住了那些看守者的視線。

我知道塑膠是很難融化的，但是直到現在，我才真正瞭解想燒斷它有多麼困難，這種足以燒壞任何東西的溫度對塑膠來說還不夠。我的手就像是被放在岩漿當中，手銬緊緊貼住我的皮膚，又熱又恐怖。我扭動著，希望自己不要去注意手上的疼痛，可我做不到。不過，我注意到我在扭動的時候，手銬似乎鬆動了一點，它已經變得軟多了。

很好！起作用了！我只需要再忍耐一下……

我拚命地想將注意力放在克里斯蒂安的牙上，好讓自己分心，但大概只堅持了五秒鐘。他沒有咬我，所以我的身體裡沒有他分泌的內啡肽，當然無法抵抗這種恐怖的疼痛。我抽泣起來，這讓我們的表演看起來更有說服力。

「我眞不敢相信……」一個看守者低聲說，「他眞的在這麼做！」

透過他們，我能聽見米婭的哭聲。

手銬還在加熱，我這輩子都沒有體驗過像現在這樣的疼痛，我已經經歷夠久了，昏過去很可能是下一刻要發生的事情。

「嘿！」一個看守突然說，「什麼味道？」

這是塑膠融化的糊味，也或許是我的肉被燒焦的味道，不過說眞的，這都不重要了，我又掙扎了一下，那副黏乎乎的、滾燙的手銬終於鬆開了。

我有十秒鐘的時間可以用來發愣，但我絲毫沒有浪費，立刻從椅子上跳起來，猛地將克里斯蒂安向後推倒。他的兩邊各有一個看守，其中一個手裡還拿著鉗子。我抄過那人手中的鉗子，揮起它，向那個看守者的臉上砸去。他發出一聲悶哼，我沒辦法停下來看發生了什麼事，馬上丟掉手裡的鉗子，揍了第二個人一拳。

我的飛腳和我的拳頭一樣，只用了平時的力道，可是，已經能夠把他揍得站不穩了。

這時，看守者的頭目做出了反應，如同我所擔心的那樣，他手裡有槍，而且把它掏了出來。

「不許動！」他喊道，手中的槍瞄準了我。

我揍倒在地的那個看守爬起來，抓住我的胳膊。另一邊，我用鉗子打了一下的看守正躺在地上呻吟。頭目仍然瞄準著我，說了些什麼，然後大聲警告著，突然，槍變成橘紅色，從他手裡掉了下來，他拿槍的手上，皮膚已經被燒得紅通通的。我意識到，克里斯蒂安加熱了槍的金屬部分！

好極了！我們眞該一開始就使用魔法。如果我們能從這裡出去，我肯定會支持塔莎的想法。莫里族反對使用魔法的習慣在我們心裡根深蒂固，所以才沒辦法立即想到要用，眞是笨死了！

我摞倒抓著我的看守者，猜想他可能沒想到我這樣身材的女生這麼能打，而且，他看見頭目的槍莫名其妙掉下來，還沒有回過神，我給自己爭取了足夠的空間踢中他的肚子。這一踢，如果課堂上打分數的話，肯定能得個A！

他挨了這一踢之後，哼了一聲，向後直接撞在牆上。我一把揪住他的頭髮，猛地磕在堅硬的地板上，力道足以令他暈過去，但不至於死掉。

突然，我跳了起來，驚訝地想著那個頭目怎麼還沒有朝我撲過來。他不至於過了這麼長時間，還沒從手槍自己掉下去的驚訝中回過神來吧！

當我轉過身，整個房間異常安靜。頭目躺在地上，失去了意識，剛剛獲得自由的梅森打暈了他，而他的身邊，克里斯蒂安一手拿著鉗子，一手拿著槍。

那把槍肯定還很燙，可是克里斯蒂安的能力可以令他安然無恙。他正拿槍對著我用鉗子打倒的那個看守者，這個人並沒有失去意識，只是不停地流血，不過，正如我一樣，他已經被剛才的戰鬥嚇傻了。

我本來以爲克里斯蒂安會扣動扳機，但他只是拿著槍，不停地抖動。我將槍拿過來，別在自己的腰帶上，發現他臉色更加蒼白了。作爲一個兩天沒有進食的人，使用魔法已經令他透支了太多體力！

「梅斯，去拿手銬。」我說。

他仍然面對著我們，一步一步退著向綁架我們的人放手銬的箱子走過去。他從中取出三副這種塑膠手銬，還有別的什麼。我不解地看著他，他舉起了一卷膠帶。

那個還有意識的人也被我們打暈，我們將那些看守者綁在椅子上，然後用膠帶將他們的嘴巴全部封住。他們會慢慢醒過來，我可不希望他們發出什麼噪音。

「好極了！」我說。

我們給米婭和愛迪鬆了綁，五個人湊在一起，開始討論下一步計畫。

克里斯蒂安和愛迪幾乎連站都站不住，但是至少克里斯蒂安還有意識。米婭的臉上佈滿了淚痕，不過我覺得她還能聽懂命令。這群人裡，只剩下我和梅森還能正常行動。

「這個人的手錶說明現在是早上。」梅森說，「我們必須到外面去，他們就沒辦法動我們了，只要這裡沒有其他的人類。」

「他們剛才說，以賽亞不在這裡。」米婭用小小的聲音說，「我們應該可以離開了，對嗎？」

「那些人已經好幾個小時沒有出去過了，」我說，「他們說的有可能是錯的。」

梅森小心翼翼地打開我們房間的門，向空空如也的大廳裡看了看。「外面好像有條路可以通向這裡。」

「那我們活命就容易多了。」我低聲說，回頭看了看其他人。「待在這兒，我們去檢查一下地下室的其他地方。」

「如果有人來怎麼辦？」米婭喊道。

「不會有人的。」我向她保證。

我很肯定這個地下室沒有別人，如果有人的話，一定會鬧成一團。要是有人想從樓梯上下來，我們一定能先聽見聲音。

不過，我和梅森在偵察地下室的時候，還是非常小心謹慎。我們背靠背走著，檢查每一個角落。從我們第一次被帶進來的時候，我就覺得這裡像是迷宮。彎彎曲曲的，還有許許多多的房間。我們一個接一個地打開每個房間的門，所有的房間都是空的，裡面零星擺放著一、兩把椅子。我有些發抖，這些大概都是用來關押犯人的，就像我們待過的那個房間一樣。

「這裡連一個該死的窗戶都沒有！」結束了地毯式搜查後，我低聲說。「我們要馬上上樓。」

我們向原來的房間走去，在抵達之前，梅森拉住了我的手。「蘿絲……」

我停下來看著他。「什麼？」

他的藍眼睛包含後悔地看著我，這比以往任何一次都要認真。「這一切都是我的錯！」

我想了想整個事情的前因後果，說：「是我們的錯，梅森。」

他哀嘆一聲。「我希望……我希望這一切結束之後，我們能坐下來好好談談，看看到底是怎麼發生的，我不應該生妳的氣。」

我想告訴他，不會再有什麼事發生了，他一定會非常失望。事實上，我已經用自己的方式告訴了他，我們兩個不會再進一步。不過現在的時機和地點不太適合提分手，我撒了個謊。

我握緊了他的手。「我也這麼想。」

他笑起來，我們兩個很快回到其他人身邊。

「沒問題。」我對他們說，「我們要商量一下怎麼出去。」

我們很快地制定了一個計畫，然後向樓梯走去。我在前面，後面是米婭，她艱難地攙扶著想要自己走路的克里斯蒂安。梅森負責斷後，還要負責拉著愛迪。

「我應該在最前面的。」我們走到樓梯口停下來後，梅森說。

「不！你不能！」我拒絕他的想法，伸手握住了門把。

「對，不過要是有事發生……」

「梅森，」我打斷他的話，嚴肅地看著他，突然之間，我腦中閃過多羅茨多夫家襲擊案被發現以後，我媽媽掌控大局的情景。冷靜、自制，就算面對的是最可怕的事。他們需要一個首領，就像現在我們這群人一樣，我努力學著我媽媽的說話方式。「如果有事發生，你把他們帶離這裡，跑得越快越好、越遠越好。如果沒有其他守護者，千萬不要回來！」

「可妳會成爲第一個被襲擊的人！我能怎麼做？」他生氣地說，「丟下妳嗎？」

「對。你把他們帶出去，忘了我。」

「蘿絲，我不會……」

「梅森，」我再次用我媽媽的方式說話，努力形成一種可以領導他們的力量和氣場。「你究竟能不能做到？」

我們彼此看了很長時間，互不相讓，其他人看我們這樣，都屏住了呼吸。

「我能做到！」他機械地說。

我點點頭，轉過身，打開地下室的門，它發出吱呀的聲音，聽到這個聲音，我扮了個鬼臉。我緊張得不敢呼吸，就那麼站著樓梯口，等著、聽著。

整個房間的擺設和我們被帶進來時沒什麼不同，所有的窗戶都被黑色窗簾遮住，但是從窗簾縫中，我能看見有陽光射進來，陽光從來沒有像此刻這樣如此甜蜜，走進陽光，就等於獲得了自由。

屋子裡沒有聲音、沒有動靜，我看著四周，回想起前門的位置，應該是在房子的另外一邊。原本在整個宏偉的計畫中，這點距離不算遠，可到了眼前卻像是一道巨大的鴻溝！

「和我上去看看。」我悄悄對梅森說，希望這能令他對於斷後的位置感覺好受點。

他讓愛迪靠在米婭身上，然後和我一起快速地將整個起居室偵察了一遍。什麼都沒有！通往前門的路上乾乾淨淨！我鬆了一口氣。梅森再次扶起愛迪，我們開始向前走，每個人都緊張極了。

老天！我們做到了！我想。我們真的要做到了！我簡直不敢相信居然能有這樣的好運。我們離災難如此之近，勉強才從它身邊逃開，這是能令人對生命充滿感激、可以扭轉局面的一刻，如果再來一次，我發誓絕對不會浪費任何時間。

然而，我在聽見他們出現的時候，他們已經站在我們的面前了。以賽亞和伊琳娜就像變魔術一樣，出現在我們面前的空氣中。只是，我知道他們並不是魔術變來的，血族的速度就是這麼快。他們肯定一直待在這層樓的其他房間裡，待在我們認爲沒有人在的房間裡。

我很後悔自己沒有將整層樓都檢查一遍，心裡又想起在斯坦的課堂上，我質問我媽媽的問題：「在我看來，似乎是你們把事情搞砸了。爲什麼一開始你們沒有徹底搜查那裡，確保那裡沒有血族出沒？這麼做的話，也許可以替妳省掉很多麻煩。」

「孩子們！」以賽亞說道，「遊戲不是這麼玩的，你們破壞了規則！」

他的臉上露出一個殘忍的笑容，似乎認爲我們很有趣，是完全沒有威脅性的一群人。想聽實話嗎？他是對的。

「快跑！梅森，越遠越好。」我壓低了聲音說道，但是目光沒有從血族身上離開。

以賽亞揚起眉毛，好像上面有什麼。「妳眞的認爲妳能夠一個人將我們兩個全都打倒嗎？」他咯咯笑了起來，伊琳娜也咯咯笑了起來，我咬緊牙關。

不，我沒想過要將他們兩個全都打倒，事實上，我十分確定我會死，但我也很確定，我可以跳下地獄，吸引他們的注意力。

我撲向以賽亞，手裡的槍卻對準了伊琳娜。你也許能撲倒一個人類的看守，但對血族行不通，他們在我行動之前就看透了我的打算，不過，他們沒想到我有槍，當以賽亞不費吹灰之力地制住了我進攻的身體，我仍然在他伸出胳膊抱住我之前，向伊琳娜開了幾槍。

槍聲迴響在我耳邊，她疼得大叫起來，不敢置信地看著我。我瞄準的是她的肚子，但眞正打中的卻是她的大腿，不過這並不重要，反正不管打中哪裡都不能殺死她，但如果打中了肚子，她會覺得更疼一點。

以賽亞用力攥住我的手腕，我想他打算捏碎我的骨頭。我丟下槍，槍掉在地上，彈了起來，滑向了門邊。伊琳娜一跳一跳地單腿蹦過來，想要抓我，以賽亞警告她要控制自己，將我推到她搆不到的地方。整個過程中，我一直連踢帶打，不是爲了逃跑，只是對他們的一種干擾。

然後，甜蜜的聲音響起——前門打開了！

梅森讓米婭照顧愛迪，趁血族抓我的時候，繞到前面打開了大門。以賽亞在陽光射進來的一刹那轉過身，陽光照在他身上，他不由得發出尖叫。

儘管他受了傷，反應還是很快。他猛地逃開房間有陽光的地方，拽著我和伊琳娜一起，只不過他拽著伊琳娜的地方是胳膊，拽著我的地方是脖子。

「把他們帶出去！」我喊道。

「以賽亞！」伊琳娜喊道，掙扎著脫離他的掌控。

他將我扔在地上，轉過身，盯著正在逃跑的食物。我大口喘著氣，他勒住我脖子的壓迫感已經消失了，我從擋在眼前的劉海空隙瞥見梅森拉著愛迪邁過門檻，跑進了安全的陽光下，米婭和克里斯蒂安也已經跑出去了。我鬆了一口氣，幾乎要哭出來。

以賽亞轉過身，將他暴風雨般的怒氣都發洩在我身上，他的眼睛已經變成黑色，充滿殺意，本來就已經很可怕的臉，此刻的表情已經變得深不可測，「扭曲」已經不足以用來形容了。

他一把抓起我的頭髮，我疼得大喊出聲，他低下頭，我們兩個的臉近得幾乎能貼上彼此。

「妳想要被我咬一口嗎，寶貝？」他問道。「妳想成為一個吸血妓女嗎？好吧！我們可以替妳安排一下，讓妳嘗到世界上的每一種滋味，除了甜蜜。妳不會覺得麻木，只會覺得痛。催眠術也可以用，妳知道，我會令妳確信妳正遭受著此生最痛苦的時刻。我還會讓妳相信，妳的死亡過程會非常非常緩慢，妳將尖叫，妳將哭泣，妳會求我停下來……」

「以賽亞。」伊琳娜惱羞成怒地喊，「直接殺了她！如果你不按我說的做，你說的那些都不會發生的！」

以賽亞仍然將我抓在手裡，對伊琳娜眨眨眼睛。「別再打擾我。」

「你太誇張了！」她繼續說。

對，她眞的很婆媽！我從沒想過有像她這樣的血族，這眞是太滑稽了！

「而且在浪費時間。」

「也別再教訓我。」他說。

「我餓了，我只是說你應該……」

「放開她，不然我殺了你！」

我們都看向那個聲音傳來的地方，那是一個十分憤怒的聲音——梅森站在門口，全身披著陽光，舉著被我扔掉的槍。

以賽亞說，他好像覺得很無聊。「你可以試試看。」

梅森沒有猶豫，他朝著以賽亞的胸口不停地開火，直到打光了所有的子彈。每個子彈都射中了他，不過，他還是站在那裡，舉著我。

這就是一個古老、強大的血族眞正的力量，我想。一顆射進大腿的子彈，可以令伊琳娜這樣年輕的血族疼痛難忍，可是對以賽亞來說呢？就算胸膛遍佈子彈，也不能傷他一分一毫。

梅森也認清了這一點，他表情堅定地扔掉槍。

「快走！」我尖叫著。

但是，他沒有聽我的。他朝我們跑過來，跑出了能保護他的陽光。我用力掙扎，希望我能將以賽亞的注意力從梅森身上引開，可我失敗了！以賽亞在梅森跑到一半的時候，將我丟給了伊琳娜，他快速地迎上去，牢牢抓住了梅森，就像他之前抓住我一樣。

只不過，和我不一樣的是，他沒有抓住梅森的胳膊，也沒有揪住梅森的頭髮，或者說出那一長串威脅他、要他恐怖地死去之類的話。他只是止住了梅森的攻擊，用兩隻手抓住他的頭，快速地擰了一下。伴隨著他的動作，發出了哢嚓一聲，梅森的眼睛睜得大大的，然後表情變得空洞。

以賽亞不耐煩地哼了一聲，鬆開手，將梅森無力的屍體向我和伊琳娜的方向丟過來。他就掉在我們面前，我的視線一片模糊，只覺得天旋地轉。

「給妳。」以賽亞對伊琳娜說，「看來他能滿足妳的胃口，記得給我留點。」

22

恐懼和震驚擊穿了我，力度之大，讓我的整個靈魂都在顫抖，整個世界就像停在這裡。沒有人能在這種事之後還繼續活著！我想尖叫，讓整個宇宙都能聽到；我想大哭，一直哭到癱軟在地；我想埋在梅森身邊，和他一起死去。

伊琳娜放開了我，很明顯是認爲我待在她和以賽亞之間，不會有什麼威脅。她向梅森的屍體跑去。

我想都沒想，只能遵循本能反應——

「別碰他！」我甚至認不出這是我自己的聲音。

伊琳娜翻了翻白眼。「這麼傷心啊？妳眞討厭！我開始明白以賽亞的想法了，妳確實需要在死之前好好受點罪。」她說完轉過身，跪在地板上，將梅森翻過來，讓他臉朝天。

「別碰他！」我叫道，猛地將她推開了一點，她也推了我一下，幾乎將我推倒在地，我只能勉強穩住腳，讓自己站直。

以賽亞看起來像是在欣賞一齣精彩的好戲，然後，他看向地板——莉莎的手鍊從我大衣口袋裡掉了下來。他撿了起來，血族是可以碰觸聖物的，他們害怕十字架的傳說不是真的，他們只是不能進入聖地而已。他將手鍊翻過來，手指摩挲著龍的邊緣。

「啊！德拉格米爾家！」他陷入沉思，「我差點忘了他們。這是什麼？他們家還有活著的人嗎？一個？還是兩個？真是不值得費心去記。」那雙可怕的紅眼盯著我，「妳認識他們家的人嗎？這幾天我一定要去看看他們，這不會很難……」

突然，我聽見一聲爆炸聲，那個水族箱炸得粉碎，水從裡面噴了出來，帶著玻璃碎片，其中幾片朝我飛來。我幾乎沒有注意，水融在空氣中，形成了一面盾牌，它開始向以賽亞移動，我瞪著它，下巴幾乎要掉到地上。

以賽亞也看著它，不太害怕，而是覺得奇怪。至少在那些水裹住他的頭，令他窒息之前，他是不害怕的。

和子彈一樣，窒息也不能殺死他，但是，這能讓他該死的覺得很難受。

他的手伸向自己的臉，想要將「罩住」他的水拿開，但這完全是徒勞，他的手指可以從中滑過。伊琳娜忘記了梅森，跳了過來。

「這是什麼？」她尖叫起來，同樣徒勞地想將他救出來。「發生了什麼事？」

再一次，我沒有來得及想就行動了。我的手從周圍抓起一片最大塊的水族箱玻璃碎片。它的邊緣像鋸齒一樣，鋒利無比，深深陷進我的手中。

我向前衝過去，瞄準了我在訓練中攻擊的重點——心臟部分，將它用力地刺進以賽亞的胸膛！以賽亞發出一聲慘叫，昏倒在地。他因疼痛昏迷的時候，眼皮幾乎翻到了頭頂！伊琳娜瞪大了眼睛，和我看見以賽亞殺死梅森的時候一樣震驚。以賽亞沒有死，這是當然的，他只是暫時倒下，等命運這個裁判員開始倒數。伊琳娜此刻的表情，明白顯示出她失去了思考的能力。

現在最明智的作法是跑向門邊，進到陽光下安全的世界。可我沒有，我朝著壁爐跑去，從上面拿下一把古董劍，轉身衝向伊琳娜。我沒有跑多遠，因爲她爲了保護自己，已經向我衝了過來。她憤怒地咆哮著，想要抓住我。我從來沒用過劍，但我學過用能找到的各種東西當作武器。我用劍隔在中間，保持我們兩個的距離，動作雖然笨拙，但十分有效。

她張嘴露出雪白的尖牙。「我要讓妳……」

「痛苦？祈禱？後悔出生？」我提議道。

我記起了和我媽媽的那場打鬥，我自己是怎麼防守的。這次防守不管用了，我必須出擊。我向前跳了一步，想給伊琳娜一拐，但，很不走運，她似乎能預料到我的每一個動作。

突然，她身後的以賽亞醒了過來，大聲呻吟著。伊琳娜回過頭，這個微小的動作讓我能夠有機會揮劍砍向她的胸口。劍刃劃破了她的衣服，也劃傷了她的表皮，但僅止於這樣，不過，她還是大叫出聲，害怕地低下頭。我猜她對碎玻璃刺進以賽亞心臟的那一幕，仍然記憶猶新。

這才是我眞正想要的！

我用盡自己全身的力量，後退，揮舞。劍刃擊中了她的脖子，傷口又深又長，她發出一聲可怕的、令人作嘔的哭聲，那聲音讓我渾身直起雞皮疙瘩。她想向我走過來，我退後一下，又砍了過去。她的手摀住喉嚨，雙腿跪了下來。我砍呀砍，劍鋒每次都能砍進去更深一點。砍掉某人的頭比我想像的要困難，這把古老的鈍劍一點忙都幫不上！

但是最後，我終於恢復了意識，發現她不動了。她的頭落在那裡，已經和她的身體分離，臨死前還死死地盯著我，不敢相信這一切——我們兩個都不敢相信。

有人開始尖叫，有一刻，我有點恍惚，以爲仍然是伊琳娜，然後我抬起頭看著四周。米婭站在門口，眼睛睜得大大的，皮膚帶有淡淡的綠色，好像被人吐了一身。我隱隱地想到，可能是她讓水族箱爆炸的，很明顯，水元素的魔法並不是那麼沒用。

以賽亞仍然有點顫抖，他想要站起來，但我趕在他站起來之前打倒了他。劍揮了出去，每一下都帶著要他血債血償的痛恨。我現在已經是個有經驗的老手了，以賽亞倒在地上，我的腦海中一直不斷浮現他扭斷梅森脖子的那一刻，我用力砍、用力砍，只要我有的力氣，全都用上了，可就算是這樣，也不能平復我記憶中的傷痛。

「蘿絲！蘿絲！」

透過被仇恨蒙蔽的雙眼，我勉強認出這是米婭的聲音。

「蘿絲，他已經死了！」

慢慢地，我顫抖著停下了即將揮出的劍，低頭看著他的屍體，他的頭已經不在那裡，米姬說得對，他死了！確確實實地死了！

我看著整個房間到處都是鮮血，但是這麼恐怖的情景並沒有嚇到我，我的世界停了下來，只剩下兩件重要的事——殺死血族，保護梅森，別的，我什麼都管不了了。

「蘿絲，」米姬悄聲說。她也在發抖，聲音充滿了恐懼。她害怕的是我，不是血族。「蘿絲，我們要走了！快！」

我看看她，又低頭看看以賽亞的屍體，過了好一會兒，我爬向梅森的屍體，手裡仍然攥著那柄劍。

「不，」我哭喊出聲，「我不能丟下他，還會有血族來的……」

大開殺戒之後，對殺戮的渴望仍然殘存在我心裡，我現在能想的，除了暴力，就是憤怒。

「蘿絲，我們會回來接他的。如果還有其他的血族要來，我們就必須走。」

「不，」我固執地說道，連看都沒看她。「我不會丟下他，我不會丟他一個人在這裡。」我用沒有空閒的那隻手摸著梅森的頭髮。

「蘿絲……」

我猛地抬起頭。「滾出去！」我向她喊。「滾出去！讓我們兩個單獨待一會兒。」

她向前走了幾步，我舉起了劍，她停了下來。

「滾出去……」我不停地說，「去找其他人……」

慢慢地，米婭向門邊退去，她在跑向外面之前，充滿絕望地看了我一眼。

世界安靜了，我重新用力握了握手裡的劍，拒絕放開它。我的身子趴上去，將頭枕在梅森胸前。我變得漠視一切，包括我周遭的世界，包括時間。可能過了幾秒，可能過了幾個小時，我不知道，我什麼都不知道，只想著不能丟下梅森一個人。

我留在一個不一樣的地方，一個將恐懼和傷痛都停在港灣裡的地方。我不敢相信梅森真的死了，我不敢相信我剛剛召喚了死神，這兩樣我都拒絕接受，我可以假裝這些從來就沒有發生過。

腳步和聲音逐漸響起，我抬起頭，一群人衝進大門，我認不出來他們是誰。不過，我不需要認識，他們是威脅，我必須要帶著梅森遠離他們。

其中幾個人向我走過來，我站起身，舉著劍，防衛性地擋在他的屍體前。

「退後！」我警告他們說，「離他遠點！」

他們繼續往前走。

「退後！」我喊道。他們停了下來，除了一個人。

「蘿絲，」一個溫柔的聲音說，「把劍放下。」

我的手開始顫抖，哽咽了一下。「離我們遠點……」

「蘿絲。」那個聲音又響起來，一個不管在哪兒，我的靈魂都能認出來的聲音。

我有些猶豫，終於開始打量周圍，慢慢看清楚一切。迪米特里棕色的眼睛溫柔而又平靜地低頭看著我。

「沒事了！」他說，「所有事都過去了，妳可以把劍放下了。」

我的手抖得更厲害了，可我還是設法握住劍柄。「我不能……」那個受了傷的世界開始湧了出來。「我不能丟下他一個人在這裡！我必須要保護他！」

「妳做到了！」迪米特里說。

劍從我的手中跌落，掉在地上，發出很大的聲響。我也跌落下來，覺得四周的鐵壁轟然坍塌，只想大哭一場，可是卻欲哭無淚。

迪米特里的胳膊摟著我，幫我站了起來，聲音不斷朝我們湧來，一個接一個，我認出了他們都是我認識並且信任的人。迪米特里摟著我向門邊走去，可我沒有動，我現在還不能走。

我的手抓住他的襯衫，糾纏著上面的纖維。他的一隻手仍然環繞著我，另一隻手溫柔地將我眼前的頭髮撥開。我將頭靠在他身上，他繼續摩挲著我的頭髮，用俄語喃喃說著什麼，我一個字都聽不懂，但是溫柔的語調令我安心。

守護者在這個房子裡散開來，一寸一寸地檢查。有幾個人走過來，跪在我仍然拒絕看上一眼的屍體旁。

「她幹的?兩個都是?」

「這柄劍已經好幾年沒有磨過了!」

我的喉嚨發出一陣覺得好笑的聲音。迪米特里緊緊摟著我的肩膀,令我覺得很舒服。

「帶她離開這裡,貝里科夫。」我聽見站在他身後的一個女人說,她的聲音聽起來很耳熟。

迪米特里又摟緊我的肩膀。「來吧!蘿莎,該走了。」

這一次,我動了。他領著我走出房子,小心地扶著我下了每一個台階。我仍然拒絕想明白到底發生了什麼,除了順著路一直往前走,什麼都做不了。

慢慢地,我停在了一架學院的私人飛機前,引擎的轟鳴聲預示著它即將要起飛。迪米特里低聲說了些什麼,便將我一個人留在座位上。我看著前面,仔細研究著我前面的座椅。

有人在我身邊坐下來,將一條毯子蓋在我身上,我這才注意到自己哆嗦得有多麼厲害,緊緊抓住毯子的邊緣。

「我很冷。」我說。「我爲什麼會這麼冷?」

「妳嚇壞了!」米婭回答說。

我轉過頭,仔細地看著她的金色捲髮和大大的藍眼睛。看見她,多少喚起了我的記憶。我用力閉上眼睛。

「哦,老天!」深吸了一口氣,等我張開眼睛,再次看向她。「妳救了我,妳打破了水缸救了我。妳不應該這麼做的！妳不應該跑回來！」

她聳聳肩。「妳不應該跑去拿那柄劍。」

很公平。「謝謝妳。」我對她說，「妳所做的……我從沒想到過。幹得漂亮！」

「我也不知道可以這麼做。」她陷入沉思，悔恨不已地笑著。「水不是什麼有用的武器，還記得嗎？」

我笑得被嗆了一口，直咳嗽，雖然我並不認爲我原來說的那些話好笑。

「水元素是很偉大的武器。」我終於開口說，「我們回去以後，可以訓練一下使用它的方法。」

她的臉亮了起來，眼中掠過一絲兇狠。「我喜歡這個，比任何事都喜歡。」

「我很難過……爲妳媽媽感到難過。」

米婭只點了點頭。「妳很幸運，妳媽媽還活著，妳不知道這是多麼好的運氣。」

我轉回頭，再次盯著前面的座椅，下一句說出口的話幾乎把我自己也嚇了一跳。「我希望她在這裡。」

「她在。」米婭說，好像很吃驚的樣子。「她和搜查這幢房子的人一起進來的，妳沒看見她嗎？」

我搖了搖頭。

我們陷入了沉默，米婭站起來離開了。一分鐘後，另一個人坐在我旁邊，我不必看也知道是誰……我就是知道！

「蘿絲。」我媽媽叫我。

這是生平第一次，她的語氣很猶豫，也可能是害怕。「米婭說妳想見我。」我沒有回答，也沒有看她。「妳……妳需要我做什麼嗎？」

我不知道我需要她做什麼，我不知道自己該怎麼做。我眼睛的刺痛感似乎變得難以忍受，在我意識到之前，我哭了出來。

大聲的、痛苦的嗚咽從我身體裡冒了出來，我忍了很長時間的淚水，順著臉頰嘩嘩地淌下來。我拒絕讓自己體會的恐懼和悲痛終於爆發了出來，在我胸口燃燒，我幾乎無法呼吸。

媽媽用胳膊摟住我，我將臉埋進她的胸口，抽泣得更厲害了。

「我知道。」她溫柔地說，緊緊抓住我。「我都懂。」

23

我的紋身儀式舉行的那天，天氣溫暖。事實上，不只溫暖，校園裡許多地方的雪已經開始融化了，沿著學院石頭建築的邊緣，匯成一條纖細的、泛著銀光的小溪。

冬天還沒有結束，我知道，過不了幾天，所有的東西又會重新凍成冰，不過，現在好像整個世界已經慢慢甦醒了。

我已經從斯波坎的那場意外裡康復了，身上只有一些瘀青和擦傷。融化掉手銬的燒痕是我身上最嚴重的傷，不過，要完全克服我親歷死亡的心理創傷，還需要經過很艱難的一段時間。

我很想將自己像球一樣蜷縮起來，躲在某個地方，誰都不理，或許除了莉莎。不過在我回到學院的第四天，我媽媽就找到我，告訴我是時候讓我接受刺青了。

我過了很長一段時間，才抓住她講話的要點，這是因爲我殺死了兩個血族，應該獲得兩個閃電刺青的榮譽，這個認知讓我覺得諷刺。我的一生中，包括我以後將要成爲守護者的日子，一直渴望擁有那些印記，我曾經將它們視爲一種榮耀，可是現在呢？它們只能不斷令我記起那些我竭力想要忘掉的事。

典禮在守護者的大樓裡舉行，具體的地點是一間他們經常用來舉行會議和宴會的大房間。和滑雪場的那個大晚宴廳一點都不一樣，這個房間經濟實用，正如守護者本身。地毯的底色是藍灰色，編織鬆散，光禿禿的白牆上掛著幾張聖弗拉米爾學院歷年來的黑白照片。整個房間裡再沒有其他的裝飾，或者浮誇的物件，然而，這一刻的莊嚴和權威卻是顯而易見的。

學院裡所有的守護者都來了，但是不包括實習生。他們聚集在這棟樓裡最重要的一個會議廳，雖然人很多，但沒人聊天。當儀式開始，他們會按順序輪流上前來看看我，無需別人下命令。

我坐在房間一角的小凳子上，弓著身子，頭髮披散在我臉前。我身後，一位名叫萊納爾的守護者手舉刺青針，對著我的脖子後面。自從我走進學院的那天開始就認識他了，但是我從沒想到過他是專門給人刺閃電刺青的。

在開始之前，他和我媽媽已及亞伯塔小聲交談了一番。

「她沒有宣誓紋身。」他說。「她還沒有畢業。」

「就快畢業了。」亞伯塔說，「她已經掌握了這種技巧。紋吧！不久她會補上宣誓的。」

考慮到我一覺得疼，脾氣就會變得不好，我希望他們在紋身的時候，不會讓我太疼。但是，萊納爾真正爲我紋身的時候，我咬緊嘴唇，沒有出聲。

整個過程好像永遠不會結束，當他終於完成，他拿來一面鏡子，調整了一下，讓我可以看見自己的脖子後面。兩個小小的黑色圖案留在那裡，並排捱著，襯托出我紅腫敏感的皮膚。「閃電」的意思就是「光」，是俄語的說法，這也是那個曲折的圖案所代表的意義，兩個紋身，一個代表以賽亞，一個代表伊琳娜。

給我看過之後，他就用繃帶將它們包紮起來，然後向我說明在還沒有痊癒期間，要怎麼護理。大部分我都沒有聽進去，我覺得之後我可以再問一下。我仍然還處於震驚當中，沒有回復過來。

在這之後，所有的守護者一個接一個走到我跟前。他們每個人表達祝賀的方式都不同，有擁抱、有親吻臉頰，還有的用語言。

「歡迎加入我們的行列！」亞伯塔說，她將我擁入懷中的時候，平靜無波的臉上露出一絲溫柔。

輪到迪米特里的時候，他什麼都沒說。像以往一樣，他用眼睛說話，表情充滿了驕傲和溫柔，我將淚水憋了回去。他用一隻手輕柔地撫過我的臉頰，點點頭，走開了。

當斯坦——我從第一天上課開始就和他打架的老師抱住我的時候，他說：「現在妳是我們的一員了！我一直都知道妳是最好的。」我聽了差點暈倒。

然後輪到我媽媽了，我忍不住淚流滿面，她將我的淚水拭去，然後用手指輕撫我脖子的後面。

「不要忘記。」她對我說。

沒有人說「恭喜妳」，我很慶幸，死亡永遠不是件值得慶祝的事。

當他們輪流說完，後面提供了食物和飲料，我走到餐台前面，往自己的盤子裡放了一小塊羊乳酪和一塊芒果起士蛋糕。我狼吞虎嚥地吃著，一邊回答別人的問題。有一大半的時間，我都不知道自己說了些什麼，就好像我是個機器人，按指定程式對別人的行爲做出符合他們期待的回應。

在我的脖子後面，我的皮膚上刺著紋身；在我的心裡，一直想著梅森那雙藍色的眼睛和以賽亞紅色的眼睛。

我對自己心不在焉覺得有些內疚，這畢竟是我最重要的日子。當人群終於開始散去，我大大地鬆了口氣。

我媽媽朝我走過來，一邊走，一邊對其他人小聲道再見。除了她在儀式上說的話，我們兩個自從飛機上下來之後，還沒有怎麼認眞地談過話。我覺得有點好笑，也覺得有些尷尬。她一直沒有提，但是我們的關係從本質上有了些微的改變。我們雖然還不是朋友……但也不再是敵人了。

「澤爾斯基殿下就要離開了。」我們兩個站在大樓門口，她對我說。這裡離我們第一次見面時，我對她大吼大叫的地方不太遠。「我要和他一起走。」

「我知道。」我說。毫無疑問地，她要走了，永遠都是這樣，守護者追隨著莫里，他們是第一位的。

她看了我一會兒，棕色的眼眸包含著千言萬語。這是這麼長時間以來，我第一次覺得我們確實是平等的，而不是她以爲高高在上的樣子，但這也可能是時間的關係，因爲我已經比她高出半個頭了。

「妳幹得不錯。」她最後說，「考慮到當時的狀況的話。」

這可以算是半個表揚了，我實至名歸。

我現在明白了自己犯了哪些錯，判斷的失誤是導致在以賽亞那間屋子裡做出所有事情的根源，有些是我的錯，有些不是，我希望自己的某些行動可以重新來過，但是我知道她說得對，在那麼混亂的情況下，我已經盡力了。

「殺死血族並不像我想像中的那樣，這不是種光榮。」我對她說。

她笑了笑。「對，絕對不是。」

我想起她脖子上那些紋身，那些所有殺戮的標記，不禁有些顫抖。

「嘿！」我爲了轉換話題，伸手到衣服口袋裡拿出她送給我的那個藍眼小吊墜。「這是妳送我的，是一個……魔眼嗎？」我支支吾吾地說出這些話，她很驚訝。

「對。妳怎麼知道的？」

我不想對她解釋我和艾德里安的夢。「別人告訴我的。它是個護身符，是吧？」

她的臉上閃過一絲憂鬱，然後平復了一下，點點頭。「對。是從中東一個古老傳說中的物件……有人相信它能幫妳阻擋那些想要傷害妳的詛咒，或者阻止妳變成『魔眼』，這個魔眼就是爲了和眞正的魔眼做鬥爭，可以保護佩戴它的人。」

我用手指摸著上面的玻璃。「中東……嗯，可能是一個……呃……像土耳其的地方？」

我媽媽笑了。「就是土耳其。」她吞吞吐吐，「這是……一件禮物，一件我很早以前就收到的……從一個我在妳這個年紀就認識的男人手裡。這種關注一開始會令妳覺得像被捧上了天，但最後並不是這樣，很難講這兩者之間的區別，什麼是真正的在意，什麼是只想從妳身上佔便宜，但是當妳眞正碰到了……嗯，妳會明白的。」

我明白了爲什麼那天她對我的名譽反應那麼激烈，她在年輕的時候犯過同樣的錯誤，也許給她帶來的，遠不只是傷害那麼簡單。

我還知道她爲什麼要把魔眼送給我，這是我爸爸送給她的。我覺得她不會想要繼續談論這個話題，所以也沒再追問。知道這麼多就已經足夠了，也許，只是也許，他們兩個之間的關係，不僅僅是一場交易和基因選擇什麼的。

我們道別之後，我回到自己的班上。每個人都知道我今天早上去幹什麼了，我的同學想要看一下我的閃電紋身，我不怪他們，如果換成是我，也會追著要求看一眼的。

「拜託！蘿絲。」謝恩．雷耶斯乞求道。我們正向外面走去，準備進行訓練，他一直撥弄著我的馬尾，我們後面還跟著其他幾個人，跟他一起請求。

「是呀！拜託，讓我們看看妳的功勳偉績！」

他們的眼中閃耀著渴望和興奮。我是個英雄，引開了那群閒遊的血族頭目的注意力，將他們從假期的恐慌之中拯救出來。但是，我迎上了站在這群人最後的那個人的目光，一個看見我既不渴望，也不興奮的人——愛迪。

他看見我在看著他，朝我微微笑了一下，笑容悲傷。他知道這一切！

「對不起！夥計們。」我說著，轉身看向其他人。「繃帶還不能拆開，這是醫生的命令。」

這群人很快就將話題轉移到我是怎麼殺死血族的，斬首是殺死吸血鬼中最難，也是最不常用的一個辦法，這可不是拿把劍就能辦到的事。我盡可能地告訴我所有的朋友到底發生了什麼、盡可能貼近事實，而沒有誇大成功斬首的榮耀。

一整天的學習很快就要結束了，莉莎陪我一起走回宿舍。我和她自從斯波坎的事情落幕以後，沒有什麼機會可以好好談談。我經歷了很多詢問，然後便是梅森的葬禮。莉莎仍然不得離開學院，忙於應酬她的那些皇室親戚，所以也沒比我閒到哪裡去。

有她陪在我身邊，令我感覺好了許多。雖然我隨時隨地都可以潛進她的意識，但是這和一個活生生的、關心你的人肩並肩走在一起，感覺還是不一樣的。

我們走到我的房間門口，看見門邊放著一束白色的蘭花。我嘆了口氣撿起它，看都沒看上面的附卡。

「誰送的？」莉莎在我開門的時候問。

「艾德里安。」我告訴她。我們走進房裡，我指了指桌子，上面還放著另外幾束。我將手裡這束和它們放在一起。「眞高興他很快就要離開學院了，我可不認爲我能再忍下去。」

莉莎轉身看著我，非常驚訝。「呃……看來妳還不知道。」

心電感應帶給我一種不妙的預感，我肯定不會喜歡她要說的話。

「知道什麼？」

「他還不會走，他可能還要在這裡再待一陣子。」

「他一定得走！」我分辯道。

在我的印象裡，他回來的唯一理由就是參加梅森的葬禮，我還是不明白他為什麼這麼做，他幾乎不認識梅森，不過，他也許只是做做樣子，也許是為了接近我和莉莎。

「他是個大學生了，肯定有事可做。」

「他休學了！」

我睜大眼睛。

莉莎嘲笑我震驚的傻樣，點點頭道：「他打算留在這裡和我……還有卡馬克夫人一起上課。這麼長時間以來，他都不知道自己是精神能力的使用者，只知道自己沒有擅長的元素，可是卻有這些奇怪的能力。他一直將這些放在心底，直到他偶然間發現了其他精神能力的使用者，可是，他們也不比他知道的多多少。」

「很快我會弄明白的。」我陷入沉思，「他有很奇怪的特質，我經常會想要和他聊天，妳知道嗎？他也有……一種魅力，和妳一樣。我猜這些和精神能力和催眠術什麼的是有密切聯繫的，這讓我喜歡他……雖然我一點都不喜歡他。」

「眞的？」她揶揄我說。

「眞的。」我斬釘截鐵地說。「我也不喜歡那些夢。」

她碧綠的眼睛因爲好奇而睜得大大的。「那太酷了！」她說，「妳一直都能知道我身上發生的事，可我卻不能用這種方式和妳交流。我很慶幸你們兩個能這麼說話，尤其是當妳……不過我希望我自己也能學會，然後幫助我找到妳。」

「與我無關。」我說，「我也很慶幸他沒有讓妳停止吃藥。」

這件事我後來一直都不知道，從斯波坎回來好幾天以後我才聽說。很明顯，莉莎拒絕了艾德里安說要她停止服用藥物、教她學會更多精神能力的使用方法的提議。不過，莉莎在那之後曾經對我承認，說如果我和克里斯蒂安再沒有消息，她可能就會接受了。

「妳最近感覺怎麼樣？」我想起了她對那些藥物的擔心，問道。「妳還覺得那些藥不太管用嗎？」

「嗯嗯嗯……其實，很難解釋清楚，我還是覺得離那些魔法很近，似乎那些藥物能阻止我的時間不太長了。不過，我沒有感覺到任何其他精神問題，也不再沮喪什麼的。」

「哇！太好了！」

她綻放出美麗的笑容。「我知道，這讓我抱有一絲希望，也許某一天，我可以在沒有這些副作用的情況下學會使用魔法。」

看著她這麼高興，我也禁不住笑了。我不想看見那些黑暗的情緒又回來，它們能消失是最好不過。

所有人身邊都有光，只除了妳。妳的周圍是黑影，是妳從莉莎那裡拿來的……

艾德里安的話闖進我的腦海，我不安地回想起自己最近幾星期的行為。有時候，我會控制不住怒火。我的種種叛逆，甚至對我這樣的人來說都很出格。我自己的黑暗的情緒，一直堵在胸口……

不！這兩者之間一點關係都沒有！莉莎的黑暗情緒是因為魔法，我的是因為壓力。而且，我現在感覺很好！

看見莉莎正望著我，試著去回想我們剛剛說到什麼地方。「也許妳會慢慢找到這種方法的。我是說，如果艾德里安有辦法在使用精神能力的同時，又不需要藥物……」

莉莎突然噗哧一聲笑了。「妳不知道，對吧？」

「什麼？」

「艾德里安可是有藥的喲！」

「是嗎？但是他說……」我呻吟起來，「他當然有。那些煙，還有酒，天知道還有什麼其他的。」

她點點頭，「對。他一直在用自己的方式進行控制。」

「不過也許晚上沒有……所以他才能出現在我的夢裡。」

「唉……眞希望我也能做到。」莉莎嘆了口氣。

「也許有一天妳可以，只是，別把自己變成酒鬼。」

「才不會！」她向我保證，「不過我會學的。其他的精神使用者都沒法辦到，蘿絲，呃……我是說除了聖弗拉米爾學院以外的，我要學會如何掌控它，並且不讓它傷害到我。」

我笑著拍了拍她的手，絕對相信她。「我知道。」

我們談了整整一個晚上，等到我要去找迪米特里訓練的時候，我跟她道了別。

當我獨自一個人的時候，發現有些事情一直困擾著我。雖然那群襲擊人的血族有許多成員，可守護者認定以賽亞就是他們的領袖，這不代表將來就沒有威脅，不過他們覺得以賽亞的餘孽要想重新聚集起來，還需要一陣時日。

我一直情不自禁地想著，我在斯波坎的地道裡看見的那個名單，那個按照家族大小排列的皇室家族的名單。以賽亞曾經指名道姓地提起過德拉格米爾家族，他知道這個家族裡已經沒剩什麼人了，而且聽起來好像他也是消滅他們的血族中的一員。當然，他現在已經死了……可是，會不會有和他想法一樣的血族呢？

我甩甩頭。我不能去想這些，至少今天不行，我仍然需要從別的事情當中恢復過來。不過，用不了多長時間，很快我就能繼續再想這件事了。

我甚至不知道我們還有沒有要訓練，可我仍然走向了更衣室，換好訓練服，走進體育館，發現迪米特里坐在器材室，手裡拿著一本他最喜歡的西部小說。他抬頭看見我走進來。過去幾天我幾乎沒怎麼見到他，後來才知道他正和塔莎一起忙別的事。

「我正在想妳該來了。」他說著，將書籤夾在書裡。

「該訓練了。」

他搖搖頭。「不，今天我們不訓練，妳還需要休息。」

「我的體檢報告說我狀態很好。」我盡可能說出蘿絲‧海瑟薇擅長的虛張聲勢的語氣。

迪米特里沒有上當，他指著自己身旁的椅子。「坐，蘿絲。」

我只猶豫了一下，便順從地坐下來。他將自己的椅子挪得離我近一些，我們幾乎是肩並肩地坐在一起，我看向他那雙美麗的眼睛時，心臟怦怦直跳。

「沒有人會在他第一次殺……殺人以後……那麼容易康復的。哪怕殺死的是血族……呃……處理這些事還是需要一些技巧，想要熬過很不容易，在妳經歷了那些事之後……」他嘆了口氣，伸出手來，將我的手放在他掌心裡。

他的手指和我記憶中的一模一樣，修長而有力，上頭還有多年的訓練磨出來的繭子。

「當我看見妳的時候……當我們在那間屋子裡發現妳的時候……妳根本無法想像我的感受。」

我吞了口口水。「你……你是什麼感受？」

「我嚇壞了……心都碎了！妳還活著，可是妳的樣子……我認為妳可能挺不過去。這種想法折磨著我，將我的心撕成兩半，妳還這麼年輕……」他握緊了我的手，「妳會挺過去的，我現在知道了，我很高興。但妳還沒完全做到，至少現在還沒有，失去自己關心的人絕不是件簡單的事。」

我看著地板。「這是我的錯。」我很小聲地說。

「嗯？」

「梅森，他的死。」

我不必看他的臉，就知道他對我非常同情。「蘿莎，妳是作了幾個不對的決定……在妳知道他不見的時候，妳應該去告訴別人的……但妳也不必自責，不是妳殺死他的。」

我抬起頭，眼中含著淚水。「可能就是我的錯。他去那裡的全部原因，都是我的錯。我們吵架……我告訴了他斯波坎的事，你本來不讓我說的……」

一滴眼淚從我的眼角流下。眞的，我必須要學會停止哭泣。

就像我媽媽一樣，迪米特里將淚水從我眼角拭去。

「妳不必為此自責，」他對我說，「妳可以為妳的決定後悔，希望妳當時沒有那麼做，但是最後，這是梅森自己的決定，是他自己選擇了這麼做。最後一刻也是他自己的決定，和妳一開始扮演的角色無關。」

當梅森衝回來救我的時候，我就知道了，他以此來表明對我的癡心。這就是迪米特里一直害怕的，如果我們兩個之間有什麼關係的話，那會將我們兩個，還有我們保護的莫里，都置於危險之中。

「我只是希望我能……我不知道……做點什麼……」

我嚥回剩下的眼淚，將手從迪米特里手中抽出來，在我繼續做蠢事之前站起身來。

「我該走了！」我帶著重重的鼻音說，「你打算恢復訓練的時候，告訴我就行。還有，謝謝你……和我聊天。」

我準備轉身，突然，我聽見他說：「不！」

我回頭看著他。「什麼？」

他看著我，一股溫暖、美好的力量在我們兩個中間傳遞。

「不。」他又說了一遍，「我拒絕她了……我是說，塔莎。」

「我……」我在下巴掉下來之前閉上嘴。「但是……為什麼？這是難得一見的機會，你可以有自己的孩子，而她……她也……你知道，她很喜歡你……」

他臉上閃過一絲詭異的笑容。「對，她以前就喜歡我，現在也喜歡，這就是我必須要拒絕的原因。我不能回報……不能給她她想要的，特別是不能……」他向我走了過來，「不能在我心裡還有別人的時候。」

我幾乎又要開始哭了。「但是你好像也很喜歡她，你一直說我的行為有多麼幼稚。」

「妳的行為是很幼稚。」他說，「因為妳本身就很年輕。可妳很懂事，能知道一些比妳年紀大的人都不知道的事。那天……」我立刻明白他指的是哪天，就是我被壓在牆上的那天。「妳說對了，關於我一直和自己做鬥爭的事。從沒有人看透過這點，這嚇到我了！」

「怎麼會？你不希望有人瞭解你嗎？」

他聳聳肩。「他們是不是瞭解實際情況並不重要，重要的是有人，就是妳，這麼清楚地瞭解我。當有人能夠看透你的靈魂，這很難接受，這會迫使你敞開自己，發覺自己的脆弱。和一個不太瞭解你，但又比普通朋友多一點點的人在一起，會更容易一些。」

「就像塔莎。」

「塔莎．歐澤拉是個很有魅力的女性。她漂亮又勇敢，但是她不……」

「她不明白你。」我替他把話說完。

他點點頭。「我很明白這點，可我仍然想要這樣的關係。我知道這種關係很輕鬆，而且她能讓我將注意力從妳身上移開，我以為她能讓我忘了妳。」

我也是這麼想梅森的。「但是她並不能。」

「對，而且……呃……這還有一個問題。」

「因為我們兩個在一起是不對的。」

「對。」

「因為我們的年齡差距太大。」

「對。」

「但更主要是因為我們要成為莉莎的守護者，必須將注意力都放在她身上，而不是對方的身上。」

「對。」

我想了想，然後直視著他的眼睛。「好吧！」我終於開口，「我對這件事的看法是，我們目前還不是莉莎的守護者。」

我說完，等著他的反應。我知道他肯定又會給我上一堂人生哲理的課，關於內心的力量和毅力，關於我們今天的選擇會影響到將來，或者其他毫無意義的話。

可是都沒有，他只是吻了我。

當他伸手將我的臉捧在手中的那一刻，時間停止了。他俯下身子，嘴唇輕柔地拂過我的唇。起初，這幾乎就不像是一個吻，但是很快，這個吻變得熱烈、深入又激烈。當他終於直起身之後，他又吻了吻我的額頭。

我希望他永遠這麼吻下去，不要停。他抽出一隻手，幾根手指穿過我的頭髮，然後滑落到我的臉頰上，然後，他向門邊走去。

「我們一會兒見，蘿莎。」

「在我們下次訓練的時候嗎？」我問道，「我們的訓練可以繼續了，對不對？我是說，你還有東西要教我。」

他站在門口，看著我笑了。「對，很多東西。」

（未完待續）

我佇立在血腥酒吧對面一間廢棄商店的屋簷陰影下，試著拉好身上的黑色皮褲，同時盡量不讓動作太過顯眼。

真是可悲，我心想，目光掃向被大雨清空的街道。比起眼前的景象，我的情況應該算是好的了。

我日常的工作內容是逮捕沒有執照或是使用黑魔法的女巫。只有一個眞正的女巫，才能抓到另一個女巫。但是，這星期，街道比平常要安靜許多，因爲我的同事們都到西岸去參加年度會議，留給我寶貴的查案機會。簡單來說，就是因爲這樣的「幸運」，才會讓我在這樣一個漆黑寂寥的雨夜裡輪值！

「我幹嘛自欺欺人？」我低聲道，順手把包包甩回肩上。好吧，事實上是……我已經整整三十天，沒有被派去捉拿任何一個女巫，不管是沒執照的、白魔法的、黑魔法的，或者其他什麼的。

看來，在一個滿月的夜裡，直接把市長的兒子帶到外頭去，並不是一個好主意。

一部外型流線的跑車從街角轉了過來，在水銀燈的映照下，顯得烏黑閃亮。這是它第三次繞到這附近來了。我收斂起厭惡的神情，繃緊了臉。它正逐漸接近，甚至減慢了車速。「該死！」我低聲道。「我應該站在一道更陰暗點的門前才對。」

「他以爲妳是妓女，瑞秋。」說話的是專門掩護我的後援——一個精靈，他附在我耳邊竊笑。「我老早就告訴過妳，紅色露背小可愛是妓女的象徵。」

「詹克斯，有沒有人告訴過你，你看起來很像一隻喝醉的蝙蝠？」我壓低聲音，嘟噥著。詹克斯就站在我的耳環上方，緊貼著我。不過，我耳上大大的垂掛物，確實是耳環，而不是精靈。

詹克斯是個自命不凡的傢伙，他態度惡劣，脾氣也很壞，但我不能否認，他十分專業。況且，就是這些精靈們，才讓我得以從青蛙事件上脫身。哎，我眞的以爲仙女的體型沒那麼小，青蛙應該吃不下她們才對呀。

當那輛車越來越接近，我慢慢走向路邊。

嘎吱一聲，那輛跑車在濕漉漉的柏油路面猛然煞住，緊接著深色車窗緩緩降下。

我微微傾身靠在窗邊，露出一個最迷人的微笑，然後亮出我的證件。坐在車裡那位眉毛連成一道的先生，原本送著秋波的眼睛瞬間轉爲驚懼，下一秒，跑車加速駛離，輪胎在地上磨出吱吱聲響。

「無聊男子。」我輕蔑的丢了一句。哼，一個人類如果像他這樣，挑這種時間在哈洛區的路邊找阻街女郎，早晚會賠上性命。

那輛車疾馳而去，就算遇上紅燈也絲毫沒有減速。我轉過身，朝街頭幾個對我發出噓聲的妓女看去。她們看來不太高興，滿臉不以爲然的站在對街的角落處。

我向她們揮揮手，其中身材瘦高的那一個對著我彈了彈手指，然後轉個圈用屁股對著我，向我展示她施過法後變得迷人的俏臀。那個妓女和她看來非常高大的「朋友」闊聲交談，躲躲閃閃地傳遞著手上的香煙，但那聞起來根本不是一般的香煙。不過，今晚，這些都與我無關。我向後退了幾步，隱身到陰影之中。

我斜倚在建築物的冰冷石牆上，視線凝視著呼嘯而過的車子尾端的紅色煞車燈。我微微皺起眉頭，瞥了自己一眼，就一個女人的標準來說，我長得太高了——約有五呎八吋——卻不像站在對街燈下水窪旁的妓女那樣，有著一雙修長、曲線完美的腿，也不像她濃妝豔抹。

低下頭，我看了看自己不合格的窄臀和平胸，忍不住嘆了口氣，這種身材……我根本沒有當阻街女郎的本錢。

事實上呢，在我發現那家妖精商店之前，就已經光顧了那家名爲「你的第一件胸罩」的商店。但是，在那裡根本很難找到上面沒有印著心形或獨角獸圖案的款式。

我的祖先在十九世紀就移居美國，不知道爲什麼，經過了好幾代，家族裡的女人仍然保留著愛爾蘭後裔那鮮明的火紅色頭髮和翠綠色眼睛。不過，我的雀斑已經被爸爸買來的符咒給隱藏起來，那個符咒是爸爸送給我的十三歲生日禮物。他將那小小的護身符，放進一枚粉紅色戒指裡，每次出門，我一定會戴著它。

我把包包的背帶拉回肩膀上，低聲嘆息。黑皮褲、紅短靴、細肩帶背心，很隨性的打扮，我在任何一個週末都是類似這樣的打扮，但是穿著這身衣服杵在深夜的街角……「該死的！」我對著詹克斯低聲咒罵。「我看起來眞的很像一個阻街女郎。」

他只是回了我一聲冷哼。我轉身看向酒吧，好控制住自己不要出聲跟他拌嘴。

今天晚上雨下得太大，除了我的後援和那些「小姐」之外，整條街都冷冷清清，我在牆邊待了將近一個小時，仍然沒發現我的目標。我想，也許到酒吧裡去等會好一點，畢竟待在酒吧裡，我看起來比較像是一個尋歡作樂的客人，而不是一個妓女。

深吸一口氣，我從髮髻拉下幾綹鬈曲的髮絲，花了點功夫，讓它們順著我的臉頰優雅地垂落下來，最後吐掉口中的口香糖。我跨開大步穿越潮濕的街道進入酒吧時，腳下的靴子叩叩作響，配合著我放在臀後的手銬所發出的叮噹聲，形成一種有趣的節奏。雖然那對手銬看起來有點像某種花俏俗氣的道具，但它們是眞的，而且我發誓，它非常好用。突然，我的臉不自然地抽動了一下，恍然大悟。

哦，難怪那位一道眉先生會被嚇到。老實說，有了它，我辦起事來方便多了，不過，謝謝，別想歪了，不是你想像的那種「方便」。

就算我擁有這麼好用的「工具」，我還是在一個雨夜裡被派到哈洛區，來追捕一個逃稅的小妖精。眞是太瞧不起人了吧！咦？這會不會和我上週逮捕那條導盲犬的事有關？如果是的話……好吧，我怎麼知道牠不是一個狼人，牠的特徵眞的完全符合我所得到的訊息啊。

走進酒吧的狹長玄關，我抖落一身濕意，目光很快地掃視一圈。

牆壁上固定著長梗煙斗，綠色啤酒標誌，黑色塑膠椅，還有一個小小的舞台，這是個典型的愛爾蘭酒吧。在舞台中央，一個自以爲是巨星的人正架起他的洋琴和風笛，空氣中飄蕩著硫磺石的味道——那是違禁品。

職業本能升起，那味道聞起來似乎已經過了三天。眞可惜，不夠強烈，很難追蹤。如果能夠抓到供應商的話，我不但能夠從老闆的黑名單中剔除，說不定他還會派給我一份眞正的工作，一份「匹配」得上我才能的工作。

「嘿！」一道低沉的嗓音響起。「妳是來代多芘的班嗎？」

拋開硫磺石，我眨了眨眼睛，轉過身去，眼前出現一個穿著淺綠色T恤的胸膛，視線往上移，映入眼簾的是個跟熊一樣巨大的男人。很適合當保鑣的貨色。衣服上的名字是克里夫。唔，連名字也很適合。（注❶）

「你說誰？」我用輕快的聲調反問他，然後抓起他的衣服擦掉乳溝上的雨水。但是他對我的動作沒有任何反應。眞令人沮喪。

「多芘，州政府指派的妓女，她還會再來嗎？」

我耳環後頭傳來幸災樂禍的低語：「我早就跟妳說過了。」

臉上的笑容瞬間凍結，「我不知道誰是多芘，」我從牙縫中擠出話來：「重點是，我不是妓女。」

他嘀咕著，上上下下打量我。我低頭翻著包包，把識別卡找出來交給他。

他很認眞地檢查著我的識別卡。拜託，我早就學會了僞裝年紀的咒語，這種檢查根本就毫無必要，就算他在脖子上掛了檢驗符咒的護身符，也沒什麼用處。不過，此時它正對著我的粉色戒指發出微弱紅光。

他不會因爲一枚戒指就對我做徹底的檢查吧？聳聳肩，這就是爲什麼我要把袋子裡的符咒全部鎖住的原因，況且，我今晚的工作根本用不上它們。

注❶：克里夫（Cliff），意指懸崖。

國家圖書館出版品預行編目資料

吸血鬼學院２冰烙印 / 蕾夏爾・米德；
初版二刷. -- 高雄市：耕林，民101.11
面 ； 公分. --（魅小說；21）
譯自：Frostbite
ISBN 978-986-286-005-2（平裝）
874.57　　99021973

吸血鬼學院２冰烙印

Frostbite

作者：Richelle Mead 蕾夏爾・米德
發行人：陳嘉怡
總編輯：陳曉慧
主編：方如菁
譯者：吳雪
責任編輯：黃譯嫻、吳孟純
文字排版：謝育帆
出版者：耕林出版社有限公司
發行地址：807 高雄市三民區通化街47巷3-1號
電話：07-3130172　　傳真：07-3130178
讀者服務專線：0800211215
劃撥帳號：42205480 耕林出版社有限公司
網址：www.kingin.com.tw
E-mail：kingin.com@msa.hinet.net
總經銷：宇林文化事業股份有限公司
總經銷電話：07-3130172
總經銷地址：807 高雄市三民區通化街47巷3-1號
物流中心電話：07-3747525　07-3747195
物流中心傳真：07-3744702
物流中心地址：高雄市仁武區仁心路236之1號A棟
初版二刷：2012年11月
定價：台幣250元

核心出版集團

親愛的讀者您好：
感謝您對《核心出版集團》的支持，我們一向秉持專業做好書的出版理念，爲了能在未來出版更符合讀者需求的書籍，我們將會不斷的努力，更需要您的回應與支持，因此麻煩請您填寫下列問卷，我們將不定期提供出版訊息及各項優惠活動通知，謝謝！

姓名：＿＿＿＿＿＿ 性別：□男 □女 年齡：＿＿＿＿＿＿

地址：＿＿＿＿＿＿＿＿＿＿＿＿＿＿＿＿＿＿＿＿＿＿＿＿

電話：（H）＿＿＿＿＿＿＿＿ （手機）＿＿＿＿＿＿＿＿

E-mail：＿＿＿＿＿＿＿＿＿＿＿＿＿＿＿＿＿＿＿＿＿＿＿

教育程度：□小學 □國中 □高中職 □專科 □大學 □研究所以上

職業：□學生 □服務業 □大眾傳播 □資訊業 □金融業 □軍公教

□製造業 □家庭主婦 □其他 ＿＿＿＿＿＿

1.您是用何種方式購買到此書的？

□書店 ＿＿＿＿＿＿ □量販店 ＿＿＿＿＿＿ □網路書店 ＿＿＿＿＿＿

□便利商店 ＿＿＿＿＿＿ □郵購 □書展 □其他 ＿＿＿＿＿＿

2.您從何得知本書資訊？

□網路 □書籍內頁廣告 □書店瀏覽 □親友推薦

3.您購買此書的原因？（可複選）

□對內容有興趣 □親友推薦 □書名吸引人 □文案吸引人

□封面設計 □出版社 □其他 ＿＿＿＿＿＿

4.您認爲何種價格是您可以接受的？

單本：□99元以下 □100元～199元 □200元～399元 □不在意

5.您對本書的評價：（請填代號：1.非常好2.好3.尚可4.需要改進）

□封面設計 □內容 □書名 □價格

6.您認爲本書尚須改進之處爲何？請提供您的建議：

＿＿＿＿＿＿＿＿＿＿＿＿＿＿＿＿＿＿＿＿＿＿＿＿＿＿＿＿

＿＿＿＿＿＿＿＿＿＿＿＿＿＿＿＿＿＿＿＿＿＿＿＿＿＿＿＿

7.您是否希望收到電子報？□希望 □不希望

吸血鬼學院2 冰咬印

請對摺

廣 告 回 信
高雄郵局登記證
高雄廣字第477號

免 貼 郵 票

□□□

市(縣)　　鄉鎮市區　　路(街)　　段　　巷

弄　　號　　樓之

807

高雄市三民區通化街47巷3－1號

核心出版集團　收

請對摺黏貼

耕林 Just Novel
就是小說

耕林 Just Novel 就是小說